D1246440

Gozo

1.ª edición: febrero de 2023
5.ª edición: junio de 2023

Esta obra ha tenido el apoyo para su creación
del Ministerio de Cultura y Deporte a través de la convocatoria
de la ayudas a la creación literaria correspondientes al año 2021.

En cubierta: *Melocotones (Prunus permica)*, Elsie E. Lower,
Colección de acuareleas pomológicas del Departamento de Agricultura
de Estados Unidos. Colecciones raras y especiales,
Biblioteca Nacional de Agricultura / Rawpixel Public Domain
Diseño gráfico: Gloria Gauger
© Azahara Alonso, 2023
© Ediciones Siruela, S. A., 2023
c/ Almagro 25, ppal. dcha.
28010 Madrid. Tel.: + 34 91 355 57 20
www.siruela.com
ISBN: 978-84-19419-79-8
Depósito legal: M-48-2023
Impreso en Cofás
Printed and made in Spain

Papel 100% procedente de bosques gestionados
de acuerdo con criterios de sostenibilidad

Azahara Alonso

GOZO

Siruela

Nuevos Tiempos

Las islas son el regalo hecho al mundo en días de paz para su gozo.

MARÍA ZAMBRANO

¡Trabajar! ¡Trabajar! Como si tuviera tiempo.

GEORGES PERROS

¿En qué momento mi vida empezó a ser accesible solo en vacaciones? Padezco el síndrome de la isla en plena meseta, y eso a pesar de haber vivido en una isla de verdad hace tiempo. Su atractivo principal, antes de la tormenta de chanclas y fiestas, era el silencio. Shhh, it's the island, decían los carteles del ferri indispensable para llegar a ella, y también los de la oficina de turismo. No mentían, lo raro era escuchar algo. Como la noche en la que varios gatos se pelearon debajo de nuestra ventana. No llevábamos allí ni diez días y yo me desperté pensando que era el fin del nuevo mundo. Mi capacidad para el drama es excelente. Desde entonces y en aquella primera casa, no hubo noche en la que no me despertara sin razón y deambulara por el largo pasillo hasta la cocina, abriendo la puerta de todas las habitaciones, fascinada y muerta de miedo por la cantidad de mar que me rodeaba, por el silencio. Es difícil contar cómo se vive allí, mimetizar las palabras con su calma. En la ciudad grande soy eficiente, el estrés resulta ameno (ya se sabe lo que se elige entre el dolor y la nada). En la isla, en cambio, vivía de mirar el cielo, que era más grande que en cualquier otro lugar. Un reflejo azul porque, de tan pequeña, la isla es casi agua. Yo solía ser una de esas figuras que caminan sobre las azoteas, y disimulaba mi labor de lectora y contadora de nubes. «¿Cuál es tu oficio?», me preguntaban. Tenía que morderme la lengua para no decir que los idealistas nunca han vivido de la tierra.

*

De pequeña, cuando tenía cinco o seis años, mi madre me enseñó a respirar. Ya sabía, claro: debía dejar que el aire entrase y saliese de mi cuerpo sin darme cuenta, como al quitar los ruedines de la bicicleta, aquel rito de paso. Lo diré mejor: mi madre me enseñó a pensar que respiraba. Porque cuando entra la consciencia, las cosas que parecían transparentes se vuelven complicadísimas. En la cama de mi habitación, a oscuras, me guiaba: «Toma aire por la nariz, lentamente, y deja que llegue hasta la tripa. Retenlo. Ahora, espira». Resultaba divertido porque parecía un juego. Entonces, con cada respiración, contaba del uno al diez y del diez al cero, del uno al veinte y del veinte al cero, del uno al treinta... y el cuerpo empezaba a pesarme, a hacérseme evidente. De la misma forma cada noche. «Mamá, me gusta respirar, pero de día se me olvida». «No te preocupes, si te gusta te acordarás de hacerlo». Recuerdo esto a menudo, cada vez que me cuesta conciliar el sueño porque en la cama, con J. a mi lado ya dormido, empiezo a pensar en todos los vecinos, en aquellos a los que pongo cara y a los que no, en esa masa que de día hace cola en el mercado, comparte espacio en el cine, me entrega las cartas, sube el volumen de la música con las ventanas abiertas y se oprime contra mí en el metro de vuelta al barrio. Se recogen todos ellos en las casas mínimas de nuestra diminuta calle compartida. Son muchos, muchísimas, y quizá alguien se ha dejado abierto el gas y mañana en los periódicos dirán que esta ciudad esto o esta ciudad aquello. Dependemos mutuamente, nos suponemos fiables, pero somos demasiados y la estadística habla, y mientras cuento del cero al diez, del diez al cero, el silencio me parece sospechoso, porque sé que están ahí, no todos duermen al mismo tiempo. ¿Qué hacen? Del cero al treinta, me digo que lo extraño es un lugar en el que el silencio no es buena señal. Del cincuenta al cero y caigo.

*

Pero ¿cómo era aquello? *Primum vivere deinde philosophari.* Tantas veces he tenido que explicar por qué me fui allí aquel tiempo que ya no sé si las razones que repito de memoria son las ciertas o se han convertido en una ficción que me divierte. Las preguntas me dan una oportunidad para ordenarme, y entonces digo: fui a la isla porque había terminado de estudiar y solo sabía lo que no quería hacer. Recibí una beca para practicar un idioma que no es el mío. Esto último hace asentir a mis interlocutores con satisfacción. Deducen que la estancia tenía un propósito, no como mis estudios, a raíz de cuya inutilidad aparente escuché de las mismas bocas el tópico en un torpe latín.

Había más destinos, ¿por qué precisamente ese, no el mejor, para hablar inglés?

Un par de años antes habíamos viajado a otra isla. Con el fin de distraerme en el avión, J. me hacía preguntas o desvelaba cosas que yo quería saber desde hacía tiempo. El siguiente año viajamos a una más y otra vez las escalas multiplicaban mi angustia. En el último despegue, él me preguntó por escrito en la primera página de un libro: «¿A qué isla me llevarás el año que viene?». Aún no sospechaba que abandonaríamos el propósito de viajar, pero estaba dispuesta a mudarme a una roca en medio del Mediterráneo.

*

El silencioso terruño y el archipiélago al que pertenece se sitúan con mucha dificultad en el mapa. Casi invisible, no se suele apreciar en él. Tampoco aparecía en ninguna de mis lecturas, y las primeras aproximaciones siempre se daban por comparación: está al sur de Sicilia y al este de Túnez, su tamaño es similar al de una de las provincias más pequeñas de España, su población es un tercio de la que tiene la ciudad grande y sus habitantes hablan un idioma rarísimo, entre el árabe, el inglés y el italiano.

Después de intentar aprender lo inabarcable y del amor por el saber, etcétera, no parecía mala idea ir a un lugar del que no sabía nada, excepto que su nombre era fascinante en mi propia lengua: Gozo. Debo confesarlo cuanto antes: tengo una inevitable tendencia a prendarme de los sitios y de los nombres. Y a veces, por la noche, me cuesta respirar.

*

Me gusta imaginar el perímetro de la isla como un círculo perfecto que se ha rebelado contra la armonía, que ha perdido la tensión. Una línea de puntos desinflada que abraza la autosuficiencia. No hay alternativa, ¿qué haría si no se

12

bastara a sí misma? En aquella época, a principios de la década de 2010, muchos jóvenes nos íbamos una temporada con un ordenador portátil y el poco dinero del que disponíamos. La tasa de desempleo era sonrojante, y pensábamos que una estancia en el extranjero facilitaría las cosas a nuestra vuelta. Tampoco parecía mala idea bajar el ritmo. Era algo que había oído al acabar el bachillerato, el tiempo libre más largo de mi vida hasta entonces: «¿Por qué no te tomas unos meses para aprender a conducir, para leer, para pensar, para saber qué quieres hacer en el futuro?». Pues porque no entra en la cabeza de nadie, decía yo ciegamente. Hay unas obligaciones ineludibles, también las de la reputación, y cómo va una a permitir que la consideren holgazana o maleante durante un año. Las cosas se hacen todas apretadas, con prisa y pasándolo un poco mal o no se hacen. Y así fue hasta que decidí mudarme allí, y también después, al volver, porque la isla es un paréntesis de tierra firme.

*

«Vivir es pasar de un espacio a otro haciendo lo posible para no golpearse», escribió Georges Perec. Por entonces yo había tropezado demasiadas veces, me había mudado de habitación, de piso, de ciudad, por estudios, por enfados, por volver a ciertos lugares, pero nunca hasta entonces dependí de un avión para hacerlo. Como el dinero que me habían concedido estaba destinado a cubrir un mes, pero yo quería que durase al menos un año, empecé por elegir una compañía de bajo coste y me llevé una maleta, una mochila y varias capas de lo puesto. Casi toda la ropa era de verano y a estrenar, porque mi abuela insistió en ayudarme a renovar el armario como si en vez de irme a vivir a otro país fuese a empezar un nuevo curso en el colegio. «Que te vean bien vestida, ya que vas a ser forastera», dijo, como si a aquella isla de la que solo sabíamos que era diminuta no llegasen las cosas que pueden hacer falta. Además, ella ignoraba que mi intención era mimetizarme estéticamente en la isla no-desierta.

*

Escribió Perec también que «el mundo es grande. Los aviones lo surcan en todas direcciones todo el tiempo». En la ciudad, cada vez que salgo de casa y miro los que marcan este cielo, me doy cuenta de que pasear es una manera contradictoria e impecable de no hacer nada. Por eso quiero saber a dónde puede llevarme un paseo, porque sabré con ello hasta dónde se extiende el albedrío que depende solo de mi cuerpo. Nada abstracto: quiero nombres de espacios, quiero tiempos, distancias en kilómetros.

En la ciudad, también, un avión puede llevarme casi directamente a cualquier parte del mundo. Pero desde donde escribo, dentro de su apretado laberinto, el pie al salir de casa suele iniciar un recorrido habitual no por rutina, sino por acceso: me muevo en una lógica muy básica, me imagino en un videojuego en el que un *joystick* gigante determina mis paseos, siempre iguales. Estiro una finísima e invisible cuerda que me ata a casa. Voy y vuelvo. Nadie sabe qué sumará puntos en ese tablero de regularidad. Los ocho o diez kilómetros que puedo caminar en una tarde me llevan, a lo sumo, a otro barrio similar o en construcción, a una lejanía descampada a la que me es difícil llegar debido a las arterias que la atraviesan y en la que, una vez allí, no sé qué hacer.

Sin embargo, la isla contiene el horizonte por completo. En esa hipotética tarde, podría recorrerla de norte a sur, casi de este a oeste. Limitada, abarcable y de camino fácil, algo que hace tiempo se me antojaba una especie de encierro, ese lugar es ahora mi idea de opulencia.

En 1866, la Asociación Internacional de los Trabajadores reivindicó la jornada de ocho horas. Las condiciones anteriores eran insostenibles, y así se impuso lo que podríamos llamar la «teoría de los tres ochos» que ahora conocemos bien: un tercio del día dedicado a trabajar, otro tercio dedicado a dormir y un último al resto de la vida, si es que queda. Es decir, a la familia, a hacer la compra, a ver una película, a tomar un café con amigos, a limpiar, distraerse y salir de fiesta, a desear algo que no se necesita o doblar la ropa seca. Yo nunca trabajé ocho horas al día. Quiero decir oficialmente. He sido becaria de sueldo y horario en casi todos mis empleos, pero dicen que no puedo quejarme porque siempre fue en *lo mío*. Todavía como estudiante, di clases de refuerzo en una academia y fui bibliotecaria en la Facultad de Medicina, en lucha contra mis —literalmente— fantásticos temores. Más tarde me rendí al pluriempleo porque la cultura es así, aunque no para todos. Cuatro horas de trabajo presencial, dos horas de desplazamientos, seis en casa —artículos, correcciones, preparación de clases, aulas *online*, *emails*, lectura— y un par más de compras, cocina y prisas de cualquier tipo antes de dormir, sin olvidar la meditación que, además de relajarme, me haría ser más productiva al día siguiente.

Siempre he sido yo la que ha abandonado los empleos, porque no me libero de esta idea: algo no va bien cuando tengo que solicitar días libres a mis jefes, cuando tengo que pedir permiso para hacer lo que quiero con parte de mi tiempo. Hubo una ocasión en que lo hice. No era la primera vez, pero lo parecía porque el corazón latía más rápido, como cuando de niña esperaba la aprobación de la profesora para ir al aseo. Si tengo que ir no hay otra opción, ¿verdad? Imagina que te dicen que no, pensé. ¿Que me dicen que no a qué? ¿A irme el jueves por la tarde, mirar por la ventana del tren, leer, ver a la familia y pasear por la playa antes de volver a casa y escribir? Imagina que piensan que es un capricho tener esas cuatro horas de viernes libres de ellos, ese tiempo que es una llave a todo lo demás.

Evitaré el drama, a pesar de la tendencia: no tiene nada de extraño pedir un día libre, contrastar las fechas de vacaciones para que no coincidan con las de algún compañero, que no quede trabajo por hacer. Pero adoro la extrañeza, y por eso me di cuenta de que aquellas personas, aunque con gesto amigable y la mayor ecuanimidad de la que eran capaces en su cargo, decidían mis horarios, mis días libres, mis posibilidades de movimiento… Al menos si mi intención era seguir cobrando el equivalente al salario mínimo para vivir en la misma y vampírica ciudad.

*

En una de las dedicaciones de mi primera época pluriempleada escribía pequeñas noticias culturales casi fuera de toda actualidad. De hecho, y menos mal, la actualidad era solo un pretexto para hablar de algo que me interesara. No tardé en escribir sobre el libro de Simone de Beauvoir *Pirro y Cineas*. Lo había leído en la isla, un año atrás, y me alucinaban sus primeras páginas, aunque el hechizo desaparecía poco después. En cambio, el de aquellas aún perdura: «Plutarco cuenta que un día Pirro hacía proyectos de conquista: "Primero vamos a someter Grecia", decía. "¿Y después?", le pregunta Cineas, "Ganaremos África". "¿Y después de África?", "Pasaremos al Asia, conquistaremos Asia Menor, Arabia". "¿Y después?", "Iremos hasta las Indias". "¿Y después de las Indias?". "¡Ah!", dice Pirro, "descansaré". "¿Por qué no descansar entonces inmediatamente?", le dice Cineas». Exacto: ¿por qué no me quedé en la isla a descansar inmediatamente? Por el trabajo, por supuesto.

*

Como decía, sacarme de contexto siempre me gustó, por eso a veces, en aquel empleo, pensaba no tanto en la precariedad sino en lo increíble de formar parte de algo que me parecía grande. Llevaba adelante parte de un suplemento cultural siendo la última en el escalafón, corregía los textos de los demás con un portátil minúsculo a punto de estropearse, siempre con miedo a que me lo robaran en el metro.

Cuando la rutina empezó a fluir y trabajaba por fin con tiempos más holgados, cuando había conseguido liquidar cuentas pendientes y salir a merendar vistosas porciones de tarta sin sentir apenas culpa numérica, el medio cerró. A partir de ese momento, empecé a reconocer con nitidez el rugido de la ola, el instante en el que algo se quiebra y los proyectos suenan a cierre. Y si la comparamos con la confusión —con la indignación, incluso— que genera el hecho de que una persona abandone soberanamente un trabajo, resulta inverosímil la naturalidad con la que desde arriba se asume ese otro final —casi siempre por una gestión despreocupada y antes de pasar a lo siguiente— del que dependen tantos.

*

Conocemos bien los relatos edificantes de algunas vidas, pero no tanto los que edifican por otra vía, así que aquí van algunos: en 1731 Rousseau dimitió de su puesto en la Comisión Senatorial de Conquiliología; en 1820 Pushkin renunció a sus labores en el Ministerio de Asuntos Exteriores de San Petersburgo (prefería la poesía…); en 1837, y después de una labor impecable, Thoreau dejó de ser maestro de escuela por su propia voluntad; en 1860, Mallarmé se convirtió en funcionario del registro de Sens, pero no tardó en huir de allí.

En realidad me contrataron (es un decir) cuando supieron que iba a empezar en una tienda de ropa. Les dio pena, supongo, la sobrecualificación en aquel país nuestro cuya joven fachada se caía a trozos ya sin sonrojo y donde el trabajo seguía siendo sinónimo de dignidad o clase. Un día, cuando llevaba poco más de un mes trabajando allí, uno de los jefes me llamó a su despacho. Acudí tranquila, no me había dado tiempo a hacer algo terriblemente mal. «¿Qué tal las primeras semanas?», me preguntó, con esa capacidad de los superiores para manejar el discurso, para ralentizar los tiempos hasta llegar adonde quieren, a la típica pregunta de dónde te ves en cinco años. «Me han dicho que eres muy rigurosa, sales siempre puntual». «También entro a mi hora», respondí, inmediatamente arrepentida por esa osadía inesperada. Nunca llegué a saber qué quería decirme, porque en ese momento nos interrumpieron, se ausentó un par de minutos y luego dijo que no hacía falta continuar la conversación.

«Los trabajadores ya no existen. Existe su tiempo», escribe Franco Berardi. Por ese tiempo nos pagan. Ya no entregamos solo nuestra mano de obra: si somos buenas trabajadoras, hacemos la ofrenda completa de nuestra disponibilidad.

Cuando me pregunto por qué solo accedo a mi verdadera vida en vacaciones, hablo de una reconquista del tiempo. ¿Cómo diría: descanso, ocio, libre albedrío? Aún no lo sé, y quizá esto que escribo consista en abrir camino para encontrarle un nombre y saber cómo agarrarlo cuando se me escapa, cuando me lo quito o me lo roban lícitamente. Y es reconquista también porque su antecedente está en la infancia. En ella aprendí a tener apetencias no domesticadas, a cultivar el capricho de invertir un día completo en cosas inútiles. Digamos que oigo campanas y no sé dónde. Por eso quiero detenerme, para saberlo.

Lo SUBRAYÉ con fervor en un libro y lo recuerdo así: «El carácter propio del trabajo es no hacer lo que se quiere cuando se desea, sino ejecutar una actividad en un momento determinado por obligación, por un fin, por dinero. Entre el esclavo y quien trabaja no hay apenas diferencia sino de cantidad. Se trata únicamente del mayor o menor tiempo que uno, en relación con el otro, puede utilizar a su antojo y con el que puede contar libremente hasta desperdiciar sus horas, si así lo quiere». Disponer o no disponer de una misma, esa es la cuestión.

En inglés la pregunta es preciosa: «*Are you living for good?*». La había oído en algunas canciones y era una cantinela en mi memoria, pero allí me cayó como una losa. Fue en un mercadillo organizado (aunque era el desastre de costumbre) en uno de los pueblos del este. Volvíamos a casa y, al ver que estaba abierto, nos acercamos a la entrada de un edificio oficial. La estampa era tan deprimente como prometía: cientos de cachivaches, muñecas de otra época, vestidos de bebé, instrumentos de misa oxidados... ¿De verdad caben tantos trastos en una isla tan pequeña? Mi abuela debería saberlo. Todo estaba envuelto en motas de polvo que se dejaban caer a través de los rayos de luz y afilaban la estancia, haciendo de ella una pintura puntillista. Del fondo apareció un hombre prematuramente calvo, con una dentadura prominente que no le permitía cerrar la boca y le hacía sorber saliva en mitad de cada frase. Con una sola palabra nos preguntó si estábamos de paso y respondimos que vivíamos allí desde hacía un tiempo. «*And are you living for good?*». Lo repitió, ya molesto, varias veces. Yo no era capaz de entender lo que decía a través de aquel gesto obstinado y repugnante.

*

De nuevo el interrogatorio habitual, aunque formulado de otro modo. A los isleños les encantan los extranjeros, siempre y cuando sean indistinguibles y vayan con los billetes por delante. Cada mañana llegan desde la isla grande del archipiélago cientos de turistas a pasar unas horas y conocer los *must* del lugar antes de abandonarlo y extender su mensaje por el mundo, evangelizando la epifanía de la isla. Al día siguiente la operación se repite, como si de una marea se tratase: cada cierto número de horas todo está igual en la forma pero diferente en el contenido. Las caras, como las olas del mar, son otras, aunque colmen el espacio de forma casi idéntica. Llegan y llegan nuevas remesas de chanclas, pantalones cortos, bañadores, piel quemada, gorras y sombreros con cintas (¿por qué visten así?, ¿por qué se empeñan en que un país extranjero es una playa, una montaña, un restaurante?). Parecen las mismas personas, pero supongo que no lo son.

J. y yo fuimos idénticos a nosotros mismos durante aquel tiempo, y por eso nos saludaban con una inclinación de cabeza o entablaban conversación en la cola de la ferretería. Nuestras peculiaridades no les parecían ya divertidas, formaban parte de un ligero choque cultural. Les extrañaba, por ejemplo, nuestro desaliño en el peinado, que yo mantuviese mi propio apellido o que entrásemos en los bares más recónditos de cada pueblo los días de lluvia durante el invierno. Éramos una especie de Wally encontrado demasiadas veces entre ellos.

Lo preguntaron incansablemente —el joven agente inmobiliario, todos los camareros, el conductor de la línea de autobús que llevaba al ferri, la panadera, el hombre que barría la plaza principal—: cuáles eran nuestras profesiones, para quién trabajábamos, de qué vivíamos. Más que curiosidad, parecía el paso previo a una acusación, aunque nunca manifestamos escasez y pagábamos en fecha todas nuestras cuentas. Mi objetivo era dejar vacía la respuesta o decir que vivíamos de unos ahorros religiosamente conseguidos: breves empleos, sueldos míseros y becas a cambio de tiempo libre (libre de verdad) para nosotros.

*

Debería haberlo dicho del modo en que mejor podían entenderlo: me ganaré el pan del futuro con el sudor de mi frente pasada, hasta que vuelva a la misma tierra de la cual fui extraída. (Solo que con un poco menos de épica).

*

Así que la respuesta era negativa. No estábamos *living for good* y lo supo Frances, nuestra casera, porque quiso cerrar así la despedida cuando abandonamos su apartamento y la isla tiempo después: «Habéis disfrutado de unas largas vacaciones, ahora vuelve la vida». Es curioso, todo el mundo piensa que la vida está en otra parte (y que no trabajar una temporada es vivir de recreo). Ella sintió que nuestra manera de actuar con el entorno era demasiado ligera al no contar con horarios fijos u obligaciones conocidas. Frances nunca trabajó de manera *oficial*, pero se dedicó por completo a la familia, que es, qué duda cabe, una ocupación absorbente y sin horario ni reconocimiento. Su marido, Joe, era carpintero y albañil desde muy joven, y así le enseñó el oficio a su hijo, nuestro vecino. Su hija trabajaba en el supermercado principal de la isla, en el mismo edificio de nuestro apartamento. Joe se jubiló aquel año, y el ático que estrenamos fue el último proyecto que construyó con sus propias manos antes de entregarse a la huerta y a sus nietos.

*

Un par de semanas antes de conocerlos, cuando el contrato de nuestra primera casa, propiedad de los Xerri, estaba a punto de vencer y se suponía que nos mudábamos a la isla grande, una visita allí nos disuadió. El planteamiento era típico, y un error que volvimos a cometer en el futuro: creímos que lo natural era vivir en el sitio más grande y más artificioso, el lugar donde siempre hay empleo. Con esa premisa fuimos al centro de aquella otra tierra flotante y buscamos piso y ocupación al mismo tiempo. Es lo que se suele hacer, aunque para la isla pequeña nos hubiéramos saltado ambos pasos. Descubrimos una capital superpoblada, sucia, inflada de prisa y llena de cucarachas. La solución, como suele ocurrir, era lo que estaba más a mano. En el autobús de vuelta al ferri, donde nos preparábamos para recuperar fuerzas y ánimo, y repetir el proceso al día siguiente, mientras tomábamos la curva de una de las últimas bahías decidimos que lo mejor era quedarnos donde estábamos, donde la brújula decía norte: en la pequeña balsa silenciosa. Un lugar en el que, era cierto, había menos trabajo, pero donde no nos hacía falta con urgencia porque vivíamos con menos. «*Shhh, maybe this is our island*», pensé con un pellizco de entusiasmo. Abandonaríamos aquel primer apartamento, demasiado espacioso, en el que la isla parecía siempre a punto de ser descubierta en cada ventana sin vistas, y buscaríamos cerca algo más acogedor. Tenía respuesta a la pregunta formulada en aquel avión: iríamos una y mil veces a la misma porción de tierra flotante. Y solo a ella.

Para llegar a la isla hace falta atravesar tierra, mar y cielo, aunque en otro orden. En la primera llegada dejé los crucigramas a un lado cuando el avión comenzó a dibujar círculos sobre sí mismo y el bolígrafo se destintó. Los días ya perdían varios minutos de luz en aquella época, por eso la mitad del viaje por aire fue a oscuras, algo que me permitió no pensar muy vivamente que debajo de nosotros no había nada más que agua. Volar es siempre un acto de fe, ya sea en la técnica o en el buen día de quien nos conduce. Durante una parte del giro en el aterrizaje veía tierra, pequeños cúmulos de luces, algunas de colores. Eran pueblos de la isla grande, organizados en torno a iglesias, y en una de ellas, la más colorida, con decenas de bombillas verdes, amarillas, rojas y azules, celebraban una de las últimas fiestas de la temporada. Vi fuegos artificiales que a esa altura parecían de juguete y descubrí la dualidad fundamental. Nada de bien y mal, nada de realismo e idealismo, razón y fe, cielo e infierno. Ahora sé que todo es una cuestión de cuerpo en el contexto: macro y micro. Descendíamos, íbamos directos a la vida en detalle.

*

Después de una noche en el limbo de un hotel de la isla grande, en el que olvidamos para siempre algunas de aquellas prendas nuevas, viajamos al lugar que aún no sabíamos pronunciar correctamente, en la orilla opuesta a nuestro idioma. La distancia era mínima, pero a ras de suelo todo se complica. Hoy es lógico que a una isla se llegue desde el cielo; sin embargo, hay una epifanía en las islas que todavía se alcanzan únicamente por mar. En la cubierta del ferri mi humor era de anticiclón pletórico. Tenía desde allí la primera impresión de la isla, con sus dos iglesias más ostentosas, el hallazgo auténtico de una vida casi accesible para mí. Pero quería descubrir también la cara oculta. Podía oler ya el pescado fresco, el *lampuki* bailando en el sedal de las cañas de padres e hijos que en sus *luzzu* alzaban la voz y el ánimo a estribor. Desde aquel primero, durante el viaje en ferri pienso que si los isleños con los que comparto travesía supiesen la alegría inmensa de esta desconocida al verles, la ternura epidérmica y gratuita que tengo a la superficie a la que nos dirigimos, si lo supieran, se apresurarían a abrazarme. Pero para ellos este trayecto es agónico. La mayoría de los habitantes de la isla pequeña tienen uno de sus varios trabajos en la isla mayor del archipiélago. Para llegar puntuales a todos ellos (cosa que tampoco les preocupa demasiado) deben utilizar varios medios de transporte desde la madrugada: a las cinco y media conducen a la terminal, a las seis sale el barco, y media hora más tarde continúan en coche o en otro autobús por carreteras que eternizan el recorrido hasta la capital del país.

En verdad parecía que llegábamos a un edén, porque el viaje en ferri no estaba mediado por el dinero, se trataba solo
de subir, acomodarse, dejarse llevar. Más tarde sabríamos
que se paga únicamente por salir de la isla. La metáfora es
muy fácil.

*

Cerquísima ya del destino, nos vimos obligados a pausar el
idilio de sorpresa estética y seguir la corriente. Abandonamos la cubierta y nos dirigimos a la zona de desembarque
en busca del siguiente medio de transporte; porque hay que
atravesar cielo, mar y tierra, sí, pero lo más difícil es sortear
los apenas seis kilómetros que llevan, ya en la isla, desde
la terminal del ferri al centro. Al pisar la prometida tierra
firme, seguimos el redil hasta la calle, donde la humildísima
multitud se disgregó rápidamente, y nos vimos de pronto
frente a una decena de taxistas que nos gritaban varias palabras sueltas en su idioma. Cada una era el nombre de un
pueblo —principalmente el de la capital y los respectivos
de los dos pueblos costeros—, y la emitían esperando que
hiciera en todos nosotros, pálidos excursionistas, el efecto
llamada del destino final donde hacer las fotos del día o dejar las maletas. Uno de los taxistas, apoyado en su viejo coche con los brazos cruzados, no gritaba. Le preguntamos
en inglés si nos podía llevar a la capital y por cuánto. Casi
la mitad de lo que los demás ofrecían como ganga a voz en
cuello. Fue así como conocimos a Ronnie, el único taxista

de la isla con palabra —aunque hablaba tan rápido que era imposible comprenderla—, el único que al llegar nos dijo «*Merħba*». Nos llevó en su viejísimo taxi, una belleza un tanto estropeada de la que él empezó a avergonzarse más pronto que tarde, deseando sustituirlo en su pequeña flota por un vehículo más moderno.

*

La mirada extranjera es casi siempre inocente y sesgada, y se manifiesta en oraciones rotundas, como cuando digo que el encanto de esta isla reside en la dificultad para entrar y salir de ella. No todos sus habitantes piensan lo mismo, y han empezado a ansiar una idea de progreso tan rápida y peligrosa como las habituales, que tiene la forma de túnel subacuático o de puente para unir ambas tierras, aunque por ahora solo los separa a ellos por sus opiniones. Es probable que el estilo de vida del lugar cambie por completo, que ya no sea viable dejar las llaves de casa puestas por fuera. Es seguro que el ecosistema se resentirá, reconocen todos. Pero es importante por el turismo, por los empleos. O, como dice Óscar Calavia: «No hay actividad, por nefasta que sea, que no pueda justificarse por los puestos de trabajo que genera».

*

La complicidad entre extranjeros hizo que una mujer francesa, dueña de una de las tiendas más visitadas de la capital, entablase conversación conmigo cuando fui a comprar mi primer cuaderno allí. Qué casualidad, nosotros estábamos ya a punto de dejar el piso que alquilamos a los Xerri, en el que habíamos pasado el primer mes, y el dueño de su local disponía de un apartamento libre para los próximos, inesperadamente pequeño pero más barato, con patio y con un simpático sofá balancín en él. Abonamos la fianza y nos dispusimos a mudarnos. A lo poco que habíamos llevado a la isla un mes atrás se sumaban ahora un par de cajas con comida, ropa nueva, revistas, libros en inglés (un ejemplar de *Daisy Miller*, una curiosidad de Hitchcock, algunos aforismos de Kafka y *The Mystery of the Spanish Chest*), utensilios de cocina y de limpieza. Quizá fue la noche muy temprana a esas alturas del año, o quizá lo inevitable en todo cambio, pero no había alegría, y era extraño que ya se hubiera gastado.

Nos repartimos las estancias para limpiar, adecentar y decorar la nueva casa. J. salía una y otra vez a la calle ocultando algo. Yo grité al abrir un cajón y encontrar allí varios gusanos. Un sonido siseante llamaba mi atención. Había cucarachas en el cabecero de la cama. Aquella noche de Halloween inmobiliario dejó el listón altísimo para años posteriores. Volvimos, casi a escondidas, a la casa de los Xerri, de la que aún teníamos las llaves, y apuramos un sueño breve y frío. Nos fuimos aún de madrugada y, a la hora acordada para dejar definitivamente aquel primer apartamento, estábamos allí de nuevo. Después del isleño ritual de la impuntualidad, Marlene, la *landlady*, quiso comprobar que todo seguía en orden tras nuestra estancia. A juzgar por cómo hizo recuento de tenedores y cuchillos, buscaba una razón para no devolvernos la fianza, y yo pensé de nuevo en Perec: «Escriban sobre sus cucharillas», recomendaba. Estaría orgulloso de aquella minuciosidad.

Con apenas unos minutos de diferencia, acudimos al templo de los insectos a recoger nuestras cosas y, acusada de inventarme las razones por las que lo abandonábamos, aprendí de verdad a hablar inglés al discutir por teléfono con su dueño. También comencé a entender las curiosas redes personales de aquel lugar. Y así fue como nos encontramos en la calle, en una isla diminuta en medio del Mediterráneo con dos maletas, dos mochilas y dos cajas de cartón llenas de todos los tipos posibles de pasta italiana. Todavía hoy mi abuela exagera sobre aquello.

«¿POR QUÉ nos obligamos a esto? ¿Por qué el trabajo? ¿Por qué no se puede escapar de él?». Yun Sun Limet, en el estado de gracia de la convalecencia —un estado de tiempo congelado—, preguntó esto en un correo electrónico dirigido a un buen amigo. Fue el primero de un intercambio de mensajes que tiene el encanto de una auténtica correspondencia en papel.

*

Estoy convencida de que hay autores a quienes no les falta razón ni en sus deseos:

> En un viejo país ineficiente,
> algo así como España entre dos guerras
> civiles, en un pueblo junto al mar,
> poseer una casa y poca hacienda
> y memoria ninguna. No leer,
> no sufrir, no escribir, no pagar cuentas,
> y vivir como un noble arruinado
> entre las ruinas de mi inteligencia.

Su título, *De vita beata*, está tomado del homónimo libro de Séneca, en el que el filósofo latino animaba a encontrar una salida hacia la libertad. Y de libertad hablaré con cuidado, porque me sentí dichosa atrapada en una isla ínfima.

*

Con idéntica aspiración se abre *Sobre el sentido de la vida en general y del trabajo en particular*, el libro que recoge aquel y los otros treinta y ocho correos electrónicos que Yun Sun Limet envió a varios amigos.

Aunque en su juventud realizó estudios de cinematografía, se sintió desde muy temprano vinculada a la literatura y también a la filosofía gracias al encuentro con la obra de Maurice Blanchot y la de Jacques Derrida. La inclinación al pensamiento la llevó a reflexionar, en una delicada etapa de salud y desde la cama de un hospital, sobre el sentido de la existencia, al tiempo que ejercitaba su paciencia en la espera de la recuperación y el miedo a una muerte demasiado temprana. Pero también, y de manera muy específica, meditó acerca del sentido del trabajo. Limet ya había publicado varios libros de narrativa y algunos ensayos. Incapaz, dadas las circunstancias, de abordar un nuevo libro en el que dar cabida a esas consideraciones, no pudo en cambio evitar el propio acto de escribir, y así comenzó su correspondencia virtual. Esa comunicación amistosa se lee como un vehículo perfecto entre el conocimiento y la intimidad. Y remite, de manera velada, a la idea atribuida a Sócrates: los trabajadores son malos amigos y malos ciudadanos porque no disponen de tiempo para cumplir con las responsabilidades de la amistad y la ciudadanía. Durante el paréntesis hospitalario, Limet sí lo hizo.

*

Es así como recorre brevemente la historia del empleo, en tanto el trabajo es parte constitutiva no solo de la rutina del ser humano (de la cual ella estaba desposeída) sino también, y finalmente, de la formación de su identidad adulta. Y la presencia de Séneca se mantiene en el libro. En uno de sus correos electrónicos, Limet comparte un fragmento dolorosamente esclarecedor del clásico: «No puedo evitar sorprenderme cuando veo a gente que solicita a otros su tiempo, y a los que son solicitados tan proclives a concedérselo; ambos tienen en consideración aquello para lo que solicitamos el tiempo, pero el tiempo mismo, nadie; se diría que lo que pedimos no es nada, lo que concedemos, tampoco. El bien más preciado de todos se convierte en un juguete».

*

Trazo una línea bajo las palabras y tarareo un *ojalá*: no sufrir, no escribir, no pagar cuentas.

YA APENAS me sonrojo si confieso que tengo el don de la reincidencia. Y es una conquista: todo lo que me ha alejado de los malos hábitos ha conseguido al mismo tiempo convertirse en una tendencia a la obstinación que, francamente, no me hace daño. En un reportaje que me impresionó de adolescente, un hombre con trastorno obsesivo compulsivo y lunática melena insistía: «No le hago mal a nadie, ¡no le hago mal a nadie por encender y apagar la luz diez veces al entrar en una habitación!». Su pareja, sentada junto a él, bajaba la mirada. Aunque no he llegado nunca a esa vehemencia sin culpa, ahora adivino a qué se refería.

En su versión no patológica y amable, esto supone que necesito ver la misma película decenas de veces, mis trabajos preferidos son los mecánicos —en contra de cierta romántica idea de la creatividad, casi siempre mal pagada— y entiendo el amor como en aquella canción que no lo pretendía: «*Don't you love her as she's walking out the door, like she did one thousand times before?*». Pero hay algo más: no encuentro mayor placer que volver a mis lugares, quizá no a esta ciudad o a aquella isla, sino al banco redondeado de uno de sus parques, a la esquina de piedra caliza en la que el aire gira de una forma inconfundible, a la roca entre dos playas en la que mi abuelo me enseñó a coger *llámparas*. ¿Lo de no volver a los sitios en los que una

41

fue feliz? Una leyenda insensata. Eso sí, no he conseguido releer una novela entera en mi vida.

*

Siempre quise que mi don fuese el de la ubicuidad, pero es el de la repetición. Por eso no le extrañó a J. que durante el tiempo anterior a dejar mi último trabajo viese una y otra vez una TED Talk. En mi favor diré que solamente he visto esa, pero unas treinta veces. Su título es *El poder del tiempo libre* y, para más inri, la pronuncia un publicista: Stefan Sagmeister. Si le hubiese conocido por ese vídeo, probablemente no habría resistido sus zapatos blancos (las palabras se discuten, pero los símbolos se aborrecen o se siguen a ciegas). Por suerte, mi primer contacto con él fue una exposición, *The Happy Show*.

*

En la charla, el director de arte cuenta que tiene un estudio de diseño que cierra un año cada siete. Si en uno de esos meses de contemplación consultamos la web de su empresa, encontramos este mensaje: «Hola. Esto es Sagmeister Inc. Estamos llevando a cabo un año de experimentos y volveremos el 1 de septiembre. Por favor, contacta con nosotros entonces». En la naturalidad al comunicar el año sabático (es un año «estupendo y energético», dice) se puede adivinar cierto parentesco con los libros que defienden el tiempo libre, la pereza o, incluso, la abolición del trabajo. Pienso sobre todo en un conjunto de ensayos que me marcó durante el tiempo que pasé en la isla: *Elogio de la ocio-sidad*, de Bertrand Russell. En él se propone un modelo en el que todos trabajaríamos menos (a cambio de dinero y bajo presión, quiere decir) y disfrutaríamos más de lo que el tiempo libre regala, desde el aburrimiento a la capacidad de organizarnos mejor para hacer cosas que nos apetecen. Incluso para saber, creo yo, qué nos apetece. Incluye entonces propuestas arquitectónicas, sociales y colaborativas que facilitarían este proceso. Durante su lectura encontré fascinante no solo el acuerdo, sino también la novedad de leer algo que para mí resultaba en aquel momento inimaginable en una publicación: la defensa de toda una teoría del renegado. Y quería formar parte de ella.

Pero a pesar del parecido, la posición de Sagmeister es diferente: si él se toma un año sabático cada siete es para producir más creativamente cuando vuelve, porque le resulta difícil desarrollar ciertas ideas al encontrarse ya en la rueda de la rutina. Es así, insiste, como uno se harta de las cosas que amaba al principio (la música y el diseño, en su caso). Y también como pierde clientes, aunque no lo diga. Lo que busca es una frescura que le permita crear mejor para evitar aburrirse de un trabajo al que, normalmente, le gusta dedicarse sin horario, que es como decir *sin límites*.

*

A mí no me gustan nada los días oficialmente libres (los sábados, los domingos, ¡los festivos!). Para que el asueto sea verdadero tiene que darse con el mundo girando, no en una de sus pausas deprimentes. Y en los años sabáticos no se hace —o no se debería hacer— *nada*, pero tampoco se disfruta de ese vacío que anuncia su forma en inglés, *gap year*. El agobio y la desazón son sistemáticos: si no por el trabajo, por la colada sin tender, por la falta de propósito en un mundo que lo exige, por reiteraciones contra las que mi voluntad quisiera rebelarse. ¿Y qué hice yo para acallar la culpa corrosiva del vacío? Buscar trabajo, allí y en la ciudad grande al mismo tiempo.

*

Lo que llevó a Sagmeister a cerrar el estudio por primera vez durante un año fue darse cuenta de que había creado dos piezas muy similares: un ojo de vidrio incrustado en un libro y un perfume escondido en el interior de un volumen. Pero también, según añade en la charla, caer en la cuenta de que el tiempo que pasamos aprendiendo es solo el de los primeros veinticinco años de nuestra vida: «Luego hay otros cuarenta reservados para trabajar y, al final, unos quince de jubilación». La exposición de su idea, muy visual, recorta cinco de esos últimos años, representados en amarillo, y los mezcla con los de la vida laboral. En ese momento el sonido del vídeo se satura con los aplausos del público, al que nada atrae más que un cambio de color en la canónica armonía de un gráfico.

*

La justificación del año sabático de Sagmeister me aleja de uno de mis escasos (y hasta ahora secretos) objetivos: ser improductiva. En un primer momento, es cierto, respaldé mi año en la isla como una oportunidad para poner en práctica otro idioma y (solo si no me llegaban los ahorros, aunque esto no solía decirlo en voz alta) trabajar en un país extranjero. Pero en el fondo, y finalmente en la forma, lo que deseaba era estar lejos para frenar, salir del camino y darme un tiempo para pensar qué había hecho hasta entonces y qué quería hacer en el futuro, ya que tenía que hacer algo de provecho. Ahora está muy de moda, pero en aquel momento, cuando todas mis compañeras de licenciatura se afanaban con los estudios de posgrado e intentaban hacerse personas laboralmente respetables, mi elección era motivo de lástima y de incomodidad en la conversación.

*

Sagmeister dice: «Es importante que el trabajo producido en estos años retorne a la compañía y a la sociedad en general, en vez de beneficiar solo a uno o dos nietos». Yo subrayo de oído varias palabras en una declaración tan breve: *trabajo, producción, beneficio.* Y me pregunto qué tiene de malo desear ser una de esas herederas, no producir —ni siquiera más cuerpos— y dilapidar el dinero a la vez que la propia vida.

*

Él entiende el trabajo como empleo —algo que uno hace por dinero mientras suspira por que llegue el fin de semana—, como carrera —con más compromiso personal— y finalmente como vocación —algo que haría «incluso si no se compensara económicamente»—. Es tan tramposa esta manera de enfocar el trabajo como mi pretensión de abolirlo, ideas que solo podemos apuntar en un cuaderno quienes solo nos sostenemos a nosotras mismas y nos sentamos fuera de horario en una terraza a tomar té y pensar cómo hilarlas, dónde las publicaríamos, quién nos invitaría a discutir acerca de ello. En la pantalla, el público sigue aplaudiendo, esperanzado de pronto con una vocación tardía. Mi vocación es comprar tiempo con dinero. Para eso casi cualquier trabajo es bueno, lo importante es no encariñarse con él.

*

En la isla flotaba entonces sobre los días una pregunta: ¿a qué quería dedicarme? Podía plantear, a medio plazo, una vida que dependiera de ese juego económico de poleas. Pero ya que había estudiado algo, y puesto que carga que con gusto se lleva no pesa, pensé que sería mejor buscar un empleo que me fuese amable.

*

A la entrada de la exposición *The Happy Show*, Sagmeister había instalado aquel mismo gráfico sobre los tiempos de aprendizaje durante la vida, esta vez con el título «Felicidad y tiempo libre» (que compartía espacio con una advertencia: «Esta exposición no te hará feliz»). J. y yo pasamos un rato agradable interactuando con casi todas las piezas, en claroscuro y a veces sobre un divertidísimo fondo amarillo salpicado de textos con tipografía negra y desenfadada. Fue un placer casi culpable, porque brotaba de varios lugares comunes: la huida de la muy manida zona de confort, el silencio sobre los privilegios, *carpe diem*, ciertas citas de Pascal y un protagonismo egocéntrico. Después de pedalear en una bicicleta que hacía encenderse unos neones enormes con las palabras «*Seek discomfort*», la última pieza nos tomaba por sorpresa. En la curva previa a la salida se encontraban diez grandes tubos transparentes; estaban llenos, a diferentes alturas, de cientos de esferas también amarillas. Me situé para verlo mejor. Como el resto de la exposición, esto también invitaba a participar. Su título era, por supuesto, *How happy are you?*, y se trataba de sacar una de las bolas —un chicle—, correspondiente al número que cada uno consideraba, del uno al diez, que puntuaba correctamente la medida de su felicidad. Antes de ser relegado al color de la mentira y la traición, el amarillo fue importante en los rituales religiosos de la Antigüedad clásica, así que me puse seria para cualquiera que fuese el caso. Era una curiosa y de nuevo muy visual manera de darnos idea del nivel de regocijo de los visitantes (y de premiar nuestra conducta optimista con una golosina, por cierto). Pero ¿era realmente un reflejo de la alegría de la gente? La conclusión puede cambiar si tenemos en cuenta que los museos se han convertido en atracciones turísticas, y que la mayoría de quienes allí acudían estaba de vacaciones. Las bolitas más escogidas y, por lo tanto, las que más faltaban, eran las del ocho y las del diez. Personas moderadamente animadas, personas bienaventuradas. Yo saqué un chicle del tubo número nueve. Para evitar el refuerzo positivo de mi propia felicidad en tiempo libre negociado, decidí no masticarlo y lo llevé de vuelta a casa. Lo veo cada vez que abro la lata de té en la que está guardado. Una lata que compré durante mi año sabático (¿«año de experimentos»?), sin red ni plan, en la isla.

*

Hablaba antes del don. De niñas, en el colegio, nos preguntaron cuál era el nuestro. Una compañera dijo que tenía el don de lanzar triples en baloncesto. Otro, el de resolver ecuaciones. Yo, que no tenía ninguno, intento responder todavía (¿puede ser eso precisamente, el don de no tener don?, ¿el don de tergiversar las respuestas?). Está, como decía, el de la reincidencia, pero hay uno más. No se trata de una destreza sino de una carencia: el irrenunciable deseo de estar en otra parte.

¿Qué es un año sabático? Ahora me hago una idea:

1. Debe durar doce meses o, al menos, un curso escolar. Si dura un poco menos o un poco más, es difícil contarlo. «Me he tomado un trimestre sabático» suena francamente extraño.
2. Lo que se hace durante ese tiempo debe estar bajo el signo de la inutilidad. Se puede, por ejemplo, escribir, pero si se lleva a cabo un proyecto, ya no es tan sabático.
3. No queda claro si su existencia es un planteamiento o una resolución: es difícil determinar si se sabe que un año es sabático antes o después de vivirlo. Casi imposible saberlo mientras se vive.
4. En ese tiempo, el sujeto que lo disfrute deberá responder, casi semanalmente y a distintas personas, preguntas acerca de su economía. «Pero ¿y de qué vives, si puede saberse?» suele ser la habitual. La respuesta más efectiva es: «Del aire».
5. Sus principios activos funcionan mejor fuera de contexto, por eso va asociado a un cambio de residencia temporal. Sirve para esto la casa del pueblo o una habitación en otro país. Mucho mejor si a ese destino no se puede acceder por tierra.

6. Se da en soledad o en unidades mínimas de relación (en pareja, por ejemplo).

7. Produce contrariedades: se piensa un poco más, desaparecen las excusas para no hacer lo que una no quiere hacer (a cambio, aprende a decir no), se familiariza con los horizontes de fin de fiesta y se vive así con la espada de Damocles como el péndulo que da la hora sobre la propia cabeza.

8. Produce beneficios: se resuelven cosas pendientes (nunca laborales, véase punto 2), se ve con más claridad, la respiración termina por llegar al diafragma sin esfuerzo y lavar los platos no es un sacrificio tres veces repetido cada día, sino la oportunidad de aprender qué verdad física mueve las burbujas o quién y cuándo inventó el estropajo. Se aprende a pasear o, mejor dicho, se desaprende a andar con prisa. Se ven fotos antiguas como en la infancia y una se pregunta quién fue de verdad toda esa gente.

9. No se vuelve igual a la vida de antes. Por supuesto, nadie es la misma persona dos días diferentes, pero tras esta experiencia la agenda es un ente más ajeno, viscoso, sin sentido.

10. Un año sabático es lo contrario de un año entre rejas, lo opuesto a una condena. De este modo, la reinserción es esencialmente una pérdida de libertad.

Mi abuelo atesoraba centenares de fotografías en cajas de cartón que ahora parecerían muy *vintage*. Las acumulaba con cuidado en la galería de casa, y aprovechaba la ocasión de mis aburrimientos infantiles para sacarlas de su estante y enseñarme a parientes que yo no había conocido o a versiones de él mismo que tampoco. Me decía: «Apenas necesitan nada para conservarse, no nos piden ni comer». Si él hubiera conocido esta época de megas, gigas y teras se habría alegrado: más fotos, menos necesidad, ¿no? Tampoco lo tengo tan claro.

Muy a menudo, al ver cómo las imágenes nos conservan a nosotros, me pregunto qué necesitan para mantenerse ellas mismas, para sobrellevar las nuevas amenazas más allá de aquellas humedades. Las quinientas fotos del fin de semana de escapada romántica, las casi indistinguibles mil doscientas que suma una pandilla tras el viaje a un paraíso de catálogo. ¿Dónde y cómo se guarda todo eso? ¿Vuelve alguien a verlas después de un tiempo?

En los últimos años he asistido a través de la pantalla de mi teléfono a los viajes de muchos amigos y conocidos. Y a menudo he pensado que podría hacer un catálogo de lugares-emblemáticos-del-mundo-con-gente-delante. He visto la Torre Eiffel, la Puerta de Brandemburgo, el Coliseo, las Cataratas del Niágara, el Partenón, Caminito, la Torre de Pisa, el Puente de Westminster y lugares relativamente más locales con ellos al frente en cada foto, sonrientes y a veces con un desconcertante gesto de victoria en las manos. Por algo se dice que uno se fotografía con aquello que está orgulloso de poseer.

*

Susan Sontag desentrañó este futuro *Sobre la fotografía*, que inicialmente publicó *The New York Times Review of Books* en la década de 1970. Ya en las primeras páginas atina en el centro de la diana: «El resultado más imponente del empeño fotográfico es darnos la impresión de que podemos contener el mundo entero en la cabeza, como una antología de imágenes», y sigue diciendo que «fotografiar es apropiarse de lo fotografiado. Significa establecer con el mundo una relación que parece conocimiento y, por lo tanto, poder».

Lo que las fotos de mi abuelo querían dominar era el relato de la vida de la familia: la juventud, la confitería de sus padres antes de que sobre ella cayera una bomba durante la Guerra Civil, los sábados de playa con los primos a veinte kilómetros de casa, los hitos laborales, los días centelleantes de comunión o boda. Lo que las fotos de mis amistades quieren dominar es el espacio ajeno como icono: el mundo.

*

Sontag avanza en el libro encaramándose a las continuas conclusiones a las que llega con su tono taxativo. Varias de ellas se quedan en mi cabeza también como una imagen, un conjunto de letras que se iluminan porque significan. Por ejemplo: «Coleccionar fotografías es coleccionar el mundo». Yo añadiría que publicarlas en las redes sociales es una manera de compartir la colonización. Y entonces se iluminan otras letras y pienso algo que debo apuntar en mi cuaderno: el turista tiene carácter de conquistador, pero solo fuera de horario (no ve nada reseñable en su rutina, nada fotografiable en su ciudad, para la que está cegado). El turista es un trabajador ejerciendo su labor de días libres.

*

Yo, que quiero que todos mis días sean libres, no hago fotos para recordar un sitio, sino para estar en él indefinidamente, fundiendo tiempo y espacio.

*

La industrialización de la tecnología de las cámaras y el acceso de los aficionados a ellas cumplió la gran promesa de la fotografía, que fue democratizar todas las experiencias al traducirlas a imágenes. Nuestra fe (quizá nuestra credulidad) depende ahora de ser fijada y captada por la vista. Pero es cierto; si no me pongo quisquillosa, asumo que tanta gente estuvo en la isla porque todos ellos muestran una foto con la Azure Window a sus espaldas. Esto fue antes de que se desplomase. Ocurrió el ocho de marzo de 2017. Sé que fue ese día, aunque para recordar el año debo siempre hacer memoria, porque uno de mis contactos en la isla, un antiguo vecino policía, publicó la primicia en

53

Facebook y alguien respondió: «Buenas noticias: una ventana menos que limpiar. Feliz Día de la Mujer». La temperatura moral del país a veces es muy baja. En cualquier caso, la mayoría de los isleños se sintieron abatidos por el derrumbe de lo que espontáneamente llamaban «la octava maravilla del mundo», un arco natural de piedra caliza, típica del archipiélago, cuya atracción turística no se sabía si era causa o consecuencia del rodaje de numerosas series y películas junto a ella. Las visitas esporádicas y breves a esta isla del archipiélago se justificaban por su presencia en la zona —en menor medida, por la Ciudadela de la capital y los dos pueblos costeros—, y sus veintiocho metros de altura, a los que se accedía desde una parte del arco, venían precedidos de una advertencia del peligro de caída y del riesgo de erosión innecesaria. Aun así, durante décadas recibió a excursionistas en busca de la aventura de perder el sombrero o dar con un ángulo diferente para las fotos.

*

Elegir destino vacacional: elegir localizaciones. Por eso mi lugar ideal es uno en el que a la entrada un cartel rece «Nada que ver aquí». Sin psicología inversa.

*

La primera vez que fui apenas llevábamos dos semanas instalados. Conocía la Azure Window por varios programas de televisión en los que españoles que se habían mudado a otros países llevaban al reportero a dos o tres lugares obligados. Por una parte, se agradece que no desvelasen los secretos de cada sitio, pero por otra no deja de ser asfixiante el modo en que un paisaje se reduce a una experiencia estética de baratillo: ya que es bonito, hágase una foto en este punto en el que está y no olvide recomendarlo. Llegué en autobús, sin prisa por conocer la Ventana Azul, pero con el deseo de dominar con el cuerpo el pequeño mapa en el que ahora vivía, empezando por sus obviedades, y a medida que dejaba atrás las últimas casas del pueblo más cercano, se adivinaba el fin de la tierra, pero no la belleza que le había supuesto. (La sensación no era nueva: la primera vez que con consciencia salí de la península, el aterrizaje me recordó a aquel relato de Cortázar en el que el protagonista observa desde arriba «la isla [...] pequeña y solitaria», con el encanto añadido de las palmeras del aeropuerto dobladas por un temporal; en cambio, una vez en tierra, el trayecto hasta el hotel fue un muestrario de fealdad inesperada que me hizo desear volver a casa). Como la ingenuidad del novato es persistente, a medida que el autobús se acercaba me sorprendían aún los vacíos edificios de cristal, tan pretenciosos como inacabados, en el inicio de la carretera que bajaba en curva hacia un paisaje yermo: la cantera de piedra caliza y las dos bahías. En su visita, a mi familia le encantó aquella zona desértica en todos los sentidos porque parecía el set de *El planeta de los simios*, lo que le dio interés al lugar. Pero pasábamos por alto algo excepcional: todavía existía eso que se llama temporada baja, y estábamos en ella.

Durante las semanas siguientes a la caída de la Azure Window, los isleños seguían lamentándose por la pérdida, pero no solo por eso. Ruth, una chica que conocí hace varios otoños, me dijo que lo que sentía era no tener una foto allí. De hecho, no se explicaba cómo era posible esa carencia si precisamente había nacido y vivido a menos de cinco kilómetros del lugar. En el tiempo en el que por entonces llevaba siguiendo sus publicaciones en las redes, había visto fotos suyas junto a los lugares emblemáticos de varias ciudades: Londres, Gdansk, Eindhoven, Gruyères, Venecia... incluso en el desierto de Jordania. Si le hago caso a Sontag, Ruth se apropió de todos ellos a través de la fotografía, con imágenes muy cuidadas que hace tiempo nos habrían parecido idóneas para un catálogo de moda. Esta chica y sus amigas, como arquetipo de su generación, recuerdan en algo a los iconos femeninos de la década de los años sesenta: al admirarlas en las películas y ver aquellas fotos granuladas, me parecía natural pensar que ellas eran la razón por la que los monumentos fueron levantados: para servir de fondo a su historia, como un set de rodaje. Así, la Torre Eiffel se habría construido para aparecer detrás de Jane Birkin mientras ella cantaba *Je t'aime, moi non plus*, o quizá para que Macha Méril, en *Una mujer casada*, se recostase en el asiento del descapotable y comentase sus anodinos planes para la noche. El monumento, como la ciudad, les pertenecía.

Ruth, entonces, no llegó nunca a ser dueña consciente de la Azure Window y ya nunca podrá serlo, excepto por una fotografía en papel y de mala calidad de cuando era niña, junto a su hermano. Después de la caída del arco, estuvo dos semanas buscando esa reliquia familiar entre papeles viejos. Por supuesto, la hizo pública en redes. ¿Es entonces más suya la Ventana Azul o el Valle de la Luna?

*

Mientras ojeo algunos álbumes en casa, pienso que estoy bastante segura de que lo que hace ahora la fotografía es lo que antes hacía el nombre: dar posesión y realidad. De la misma manera, relativiza tantas otras cosas que quedan bajo su dinastía. Si me nombran, existo; si me miran, estoy. Y si me fotografían, permanezco.

Quizá entonces la fotografía turística sea, a pesar de todo, la función poética del espacio. O, como dicen unos versos: «El lugar donde tú dices mi nombre no para llamarme». El lugar donde retengo el espacio no para habitarlo.

*

El objetivo inicial de la fotografía era la documentación. Al menos en parte. Pero, a juzgar por la historia, no solemos ser capaces de dejar las cosas en su justa medida. En 1842, Charles Dickens escribió en *American Notes and Pictures from Italy* que «probablemente no existe cuadro ni estatua famoso en toda Italia que no pueda ser fácilmente enterrado bajo una montaña de papel impreso dedicado a disertaciones sobre él mismo». Lo decía con ironía, por eso es demasiado cierto, también en el caso de las fotos. Décadas más tarde, Sontag volvía a pontificar en las páginas de su libro al escribir que, al poblar este mundo abarrotado con su duplicado en imágenes, la fotografía nos persuade de que todo está más disponible de lo que está en realidad. Creo que por eso uniformados de viajeros nos sentimos más intrépidos que en la vida normal: podemos acceder a todo, por fin el mundo es nuestro. ¿Por qué no perdernos —relativamente— en esa dirección, por qué no ir al lugar más remoto si veo que mi vecina ya ha estado allí, si la guía me muestra una imagen de su disponibilidad? Así se arenga el turista a sí mismo, al tiempo que activa la función «cámara» en su teléfono móvil.

*

Tenemos entonces este mundo y otro, su duplicado en imágenes. Yo me pierdo más allá: la isla es el *tercer reino* al que voy a buscar las (pequeñas) verdades, las brillantes esferas de frío en el centro del calor mediterráneo.

*

En un primer momento, parecía que la caída de la Azure Window supondría un letargo en el turismo de la zona y, en consecuencia, de la isla. No tenía por qué ser así, en las mismas coordenadas hay otras tres *atracciones*: Fungus Rock, Blue Hole e Inland Sea. Cada una tiene su propio público: la primera interesa sobre todo a quienes disfrutan con la historia y sus hitos, ya que esta roca es conocida por disponer en su cumbre de una hierba medicinal muy codiciada por los ingleses durante su ocupación (con el tiempo, se demostró que no tenía las propiedades que se le atribuían), pero también, mucho más pintoresco, por haber resguardado en los muy anteriores tiempos púnicos a algunos piratas en la bahía que cierra; el Blue Hole es un pozo de agua cristalina al que los instructores de buceo llevan a sus alumnos; Inland Sea, unos doscientos metros hacia el interior desde la extinta Azure Window, es la laguna formada por una oquedad en la roca, un mar interior sobre el que en semicírculo se cierra un mínimo puerto pesquero ahora destinado a ofrecer paseos en barca para admirar la zona.

A pesar de la desaparición de su principal reclamo, los isleños no renuncian a mantener el rédito de la antigua ventana natural y, sumando esto a sus supersticiones, han querido llevar ahora la atención hacia un nuevo punto: una cara de perfil que supuestamente aparece en los restos de las rocas caídas. De forma similar, en un libro sobre algunas curiosidades del archipiélago se invita a ver un segundo rostro. Solamente se accede a su imagen desde una barca a través de ese mar interior y, en palabras de sus autores, «la cara mira hacia el lugar donde el arco natural de la Azure Window se mantuvo, y parece haberse quedado congelada en el *shock* de su ausencia, un sentimiento compartido por muchos». Es lógico que tengamos nuestras reservas.

AQUEL DÍA, primero de lluvia, acarreamos nuestras cosas hasta una de las cabinas de la capital cuando las campanas de la Ciudadela daban las nueve de la mañana. Tratando de protegerlo todo del agua en ese mínimo espacio, llamé por teléfono a unos amigos que habíamos conocido en la isla. Avergonzada y sin dar demasiados detalles, les pedí dejar el equipaje y pasar esa noche en su casa. Así lo hicimos, y para molestar lo mínimo salimos directos a deambular por las inmobiliarias, en busca no ya del apartamento perfecto, sino de un lugar donde dormir más de dos noches seguidas.

*

Cuando no parecía lógico, las cosas se resolvieron como tocadas por la suerte, y la relación con Frances y Joe, nuestros nuevos caseros, se convirtió pronto en una cordialidad muy amena. El día que alquilamos el piso nos llevaron —absurdamente en coche, como es allí costumbre, porque estaba a cinco minutos a pie— a un despacho de abogados. Allí, un joven *enseñorado*, alto, fornido y con un gesto vanidoso y un poco tontorrón, nos leyó y explicó las cláusulas del contrato. Los cinco hablamos por turno, facilitamos datos, reímos a raíz de los nombres de mis padres y su coincidencia con topónimos del archipiélago, y nos dejamos escrutar. Era fácil adivinar el interés que nuestra apariencia suscitaba, algo que ocurrió del mismo modo meses más tarde, cuando acudimos a casa de los Grima (porque ese es su apellido) invitados a una cena con su familia y dos parejas de amigos extranjeros. Para entonces ya sabía que aquel joven abogado era, además del alcalde de la capital, nuestro vecino al otro lado de la carretera. Y también fui consciente de que éramos los únicos no isleños que alquilaban un piso formalmente en aquella isla en la que lo habitual era desconfiar del número de cucharillas que se dejan pero, al mismo tiempo, no saber ni el apellido de los inquilinos.

*

Allí se conduce por la izquierda, se beben pintas de cerveza, las cabinas y los buzones son característicamente rojos, se habla en inglés. Por el Tratado de París, el archipiélago fue colonia británica, condición que se mantuvo durante un siglo y medio. Desde el año 1814 su historia estuvo ligada a la expansión de aquel imperio hacia el Este. Fue un lugar estratégico no solo para el aprovisionamiento y el ataque, sino también al convertirse en la «Enfermera del Mediterráneo», el sanatorio improvisado en el que los soldados heridos iban a recuperarse. Ahora sigue ejerciendo la sumisión a otro imperio más abstracto que envía allí a gente agotada de su rutina y ávida de *experiencias*, pero en 1964 consiguió la independencia del británico, que se resistió a retirar sus bases militares hasta quince años más tarde. Convertido en república y miembro de la Unión Europea (donde ha tenido que aceptar, un poco a regañadientes, *adelantos* como el divorcio) desde hace relativamente poco, el país ha enfriado sus relaciones con Túnez y aprendido a plegarse a su nueva condición de parque de atracciones del viejo continente.

✲

Intentando aún guarecernos de la lluvia, nos quedamos a la entrada del supermercado. Un coche aparcó frente a nosotros, pero imaginamos que no se trataba de los dueños del apartamento, a quienes todavía no conocíamos, porque aún faltaban unos minutos para la hora acordada y ya sabíamos de sobra cómo funcionan allí los relojes. Del vehículo se apeó un matrimonio. Él era un isleño típico: camisa de cuadros arremangada, pantalones vaqueros por debajo de la tripa, sandalias deportivas y andares lentos. Ella, muy menuda, llevaba el peinado típico de las veteranas madres de familia y unos pequeños aros de oro en las orejas. Iba abrazada a una agenda que parecía hecha para tomarse las cosas en serio en un sitio pequeño. «¿Veníais a ver el ático?». Pues sí que eran ellos.

✲

El edificio en el que se encontraba llevaba por nombre y seña Sacred Heart Court (aunque gracias a la simpatía de los carteros, en Navidad varios envíos nos llegaron con la indicación «El ático que está sobre el supermercado de la isla»). Frances y Joe pensaban que esa continua mención a lo ca-

63

tólico nos parecía exótica, porque nuestra indiferencia hacia la religión era interpretada como desconocimiento. La primera vez que llegamos y nos la mostraron, se detuvieron ante esa placa con orgullo. Si llegábamos a un acuerdo, viviríamos en un lugar sagrado, parecían decirnos. ¿Pero qué hay más sagrado que esta parcela de tierra a la deriva?, pensaba yo. Tan aparentemente inaccesible como el cielo, cuando subimos con ellos las escaleras y vimos por primera vez el apartamento, nos miramos con la complicidad apagada de quien sabe que no podrá permitírselo. El ático era grande pero acogedor, a estrenar, lleno de luz, y más de este siglo que de los dos anteriores —cosa poco habitual allí—, con enormes ventanales que se abrían a dos terrazas, orientadas respectivamente a este y a oeste. Desde una se veía la Ciudadela y el mar; desde la otra, las huertas vecinas. Llevamos la conversación hacia los números, ya solo por curiosidad, para saber cuánto nos habría faltado, pero ellos se resistían y seguían mostrándonos los detalles de la casa como feriantes orgullosos de sus atracciones, nerviosos por mantener todo limpio a pesar de la lluvia arenosa que enturbiaba la vista y las terrazas. Cuando por fin ella anunció la abultada cantidad, a mí me pareció que lo hacía con rubor, así que me mostré abiertamente decepcionada y, para confirmar mi reciente familiaridad con las costumbres de la isla, le propuse casi la mitad. Mantuvimos una brevísima conversación a dos bandas: en nuestros respectivos idiomas hablábamos con Joe y J., mientras Frances y yo nos dirigíamos la una a la otra en inglés. Me apuré como si realmente tuviéramos algo que hacer, algún lugar al que ir, y con mi mano ya en la puerta nos citaron esa tarde para discutir de nuevo el precio del edén de piedra caliza.

Es fácil llegar a acuerdos con personas que creen en las soluciones salomónicas. «¿Cuándo queréis entrar a vivir?», nos preguntaron tras el segundo encuentro. El resto fue tranquilidad y firmas en el contrato.

¿SE PUEDE DESCIFRAR UN PAISAJE sin alejarse de él? Para oír campanas tuve que salir del cuadro. Empiezan muy temprano y eso no es madrugar porque tiene otra textura. A veces les dedico un día entero. No debo ser puntual ni ir a ningún sitio, puede ser desde la cama, me basta con escuchar y tomar nota. Es una meditación con la ciudad. ¿Qué significa un día en la maraña de los exactamente doce mil trescientos treinta que me constituyen? ¿Cuántos he empleado desde entonces en hacer lo que debía frente a lo que quería? ¿Cuáles de ellos son los días perdidos? Y, sobre todo: ¿qué permite que merezcan la pena? Demasiadas preguntas, lo sé, pero tengo una respuesta: quizá contar las campanadas, descubrir, por ejemplo, por qué tañen a veces a las cinco de la tarde o a qué se debe el silencio entre sus repiques. Es muy fácil: solamente requiere atención, es decir, tiempo.

*

En la ciudad las campanas suenan cada quince minutos aunque apenas reparemos en su música al vivir aquí. Es como el viejo enigma: si un árbol cae en un bosque y nadie está cerca para oírlo, ¿emite algún sonido? En la isla apenas había árboles, es algo en lo que no me había fijado hasta que un compañero de trabajo me lo afeó a mi vuelta. Yo le aburría con el tema de la isla, con mapas e imágenes, y él siempre me respondía que aquel lugar era un desierto rodeado de agua. Es verdad, apenas había árboles. Quedaban los de los parques recién inaugurados y uno reseñable en los acantilados del sur. Y digo *quedaban* por mantener la idea de un tiempo más nutrido. En cambio, no faltaban campanas.

Mejor entonces: si una campana se mueve y nadie está cerca para oírla, ¿emite algún sonido? Sí, esto sí. Porque llena el aire y se hace ubicua. El caso es más bien que de tanto oírlas —el toque de misa en la madrugada y sus siguientes cuatro veces, el toque de fiesta, el toque a la oración—, el isleño también termina por no percibirlas hasta que ocurre algo extraordinario. Como un repique a muerto.

Al mismo autor de aquel poema sobre el viejo país ineficiente se le olvidaba algo en otros versos, unos en los que dejó constancia de «la rara y tenue sensación de estar que se siente en las islas y en los bares». Se le olvidaban las iglesias. Porque no hace falta ser una gran parroquiana, en el sentido más literal del término, para percibir la insólita placidez que nos envuelve al sentarnos en sus bancos, aunque sea por casualidad e incluso, llegado el caso, desde el más salubre (aunque un poco dramático) agnosticismo. Una rara y tenue sensación de estar que algunos han querido asociar a una fuerza telúrica traducida en «lugares de poder» o «vórtices energéticos», pero cuya intensidad tiene que ver, más probablemente, con la arquitectura, los incensarios y las resonancias cercanas al silencio que embotan los sentidos.

*

Si hay un lugar donde la combinación entre islas e iglesias llega al paroxismo, ese lugar es el archipiélago. Ahora que estamos adiestrados para detectar lugares fotografiables y escribir un pie de foto insustancial e intenso, sé por qué esa tierra es uno de los destinos más concurridos: por su fondo de postal mediterránea, pero también por una de sus peculiaridades más distintivas, más allá de lo todavía edénico y de la piedra que amarillea sus tres islas: la de los templos. La vinculación del país con el catolicismo resulta incuestionable: es la religión oficial del Estado, y casi la totalidad de su población es católica y practicante (muy practicante). Hay, desde luego, más religiones representadas en la república, pero de manera muy minoritaria: una mezquita para los fieles del islam, una congregación judía, un pequeño espacio para el budismo zen y una reducida (me quedo ya sin calificativos para lo mínimo) muestra de evangélicos y también de protestantes que los isleños insisten en asociar exclusivamente a la población británica retirada allí, como si quisieran evitar que se relacionara con ellos.

*

Lo más curioso del catolicismo del archipiélago es que estas tres pequeñas parcelas de tierra flotante acogen en su superficie un total de trescientas sesenta y cinco iglesias y capillas. Como a los isleños les gusta decir en una de sus dos lenguas: «*Everyday there is somewhere different to pray*».

*

En *La tournée de Dios*, Enrique Jardiel Poncela cuenta que el todopoderoso baja a la Tierra y va en busca de su *casa*. Quizá la isla sea, precisamente, la urbanización de dios. Trescientas sesenta y cinco iglesias son muchas para un país de medio millón de habitantes. En cuanto a la sobreabundancia de capillas diseminadas por las zonas más rurales, se

70

dice que la razón responde a las *necesidades* religiosas de los campesinos alejados del centro de cada pueblo o ciudad. He llegado a descubrir pequeños santuarios improvisados junto a carreteras secundarias: un par de bancos hechos con palés, una gran cruz, una imagen de la virgen y muchas flores.

*

Las dimensiones de las iglesias son otro de sus puntos fuertes. La Rotunda of Santa Marija Assunta, en la isla grande, es reconocida como una de las cúpulas más grandes del mundo y acoge una historia muy celebrada sobre los milagros del país. Durante la Segunda Guerra Mundial, el 9 de abril de 1942, a las cinco menos veinte de la tarde, las fuerzas aéreas alemanas lanzaron tres bombas a esta iglesia. Dos no explotaron y la tercera atravesó la cúpula, alcanzando la nave central del templo, donde se refugiaban más de dos centenares de fieles. No causó ningún daño. El hecho es conocido entre la población como *Il-Miraklu tal-Bomba*.

*

Estos templos destacan en ocasiones por algo más que su participación en un *ranking* o sus dimensiones. Lo descubrí al encontrar en uno de mis paseos el Santuario de la virgen de Ta' Pinu, que tuvo su origen en una pequeña capilla situada a las afueras de uno de los pueblos más cercanos al faro de la isla. En sus inmediaciones, el 22 de junio de 1883 una campesina llamada Karmni Grima (quizá pariente lejana de mis caseros, sí) *oyó* una voz femenina proveniente del interior que le pedía que se acercara a la capilla, porque algo le impediría volver a hacerlo en un año. Grima, aterrorizada, obedeció, al tiempo que seguía nuevas instrucciones: debía recitar tres avemarías en honor de los tres días que la virgen estuvo junto a la tumba de su hijo. Después de esto, la mujer cayó enferma y no pudo volver a la zona hasta pasado un año, tal como aseguraba que la voz había vaticinado. Hubo más personas que declararon escuchar la llamada, y tras informar de ello al obispo se decidió que el origen era divino: se trataba nada menos que de la virgen. Por todo ello, en 1922 se comenzó a reconstruir la basílica, que fue consagrada diez años más tarde. Tanto Juan Pablo II como Benedicto XVI y el papa Francisco la visitaron en sus únicos y respectivos viajes al país.

Lo alucinante de esta iglesia no es solo el origen que, a decir verdad, poco se diferencia de otros testimonios propios de la tradición católica. Una vez dentro, Ta' Pinu dispone de un voluminoso libro de visitas que el párroco y sus ayudantes deben renovar cada pocas semanas, en el que los visitantes de todo el mundo dejan su firma y su lugar de procedencia para dar fe, precisamente, del atractivo de peregrinación turística. Al fondo, en el deambulatorio, hay un catálogo de lo atroz revestido de agradecimiento: un acogedor museo de ofrendas que los devotos han entregado a la virgen: cinturones de seguridad de coches siniestrados, cascos de motoristas, vestidos y zapatos de niños enfermos, decenas de escayolas, trenzas de niñas que sacrificaron su melena para recuperar la salud, cuadros que le dedicaban al papa del momento, colgantes de plata con la forma de ojos, piernas, brazos y orejas… y, sobre todo, obsequios para una imagen que se repite incontables veces, la de Frenċ *tal-Għarb*. Vecino de Karmni Grima, este hombre fue un curandero muy querido en la isla, también fanático de la santa virgen de la alucinación y considerado ya uno de sus apóstoles.

*

En esos mismos pasillos con vistas al mar, unas canastas ofrecen varios sobres impresos. En ellos se pueden especificar las peticiones para los seres del equipo directivo de la divinidad, aunque bajo un precepto poco habitual en estos territorios de lo sagrado: no meter dinero en ellos. En su interior las ofrendas están tipificadas para que la virgen pueda interceder, como dicen, ante dios. Dispone esta suerte de quiniela de dos columnas, y a mí me gusta pensar que es como una apuesta con (¿contra?) la divinidad. En una de ellas, se reza (y aquí marque su equis) para cambiar la vida, recuperarse de una enfermedad o una depresión, liberarse de los ataques del demonio, discernir el camino que la providencia prefiere para cada uno, lograr la paz de espíritu y de la familia…, pero también para aprobar los exámenes, encontrar un trabajo gratificante o, incluso, para que más jóvenes se sientan llamados a dedicar su vida al sacerdocio. En la columna adyacente se puede recomendar en las oraciones (y aquí marque su equis de nuevo) a la pareja, los hijos, los padres, los amigos, el papa y los obispos, los enfermos y quienes cuidan de ellos, aquellos que no disponen de los bienes básicos o los presos. Esta sencilla estrategia de elección y combinación, sumada a un padrenuestro, tres avemarías, una oración especial y mucha fe da resultado, según comentan los isleños y algunos peregrinos.

*

Del mismo modo que no aposté en la isla (¿para qué?), tampoco quise probar suerte con el cielo. Y aún me sorprende cómo un país edénico mantiene una vinculación tan estrecha y comprometida con el catolicismo. En cada fiesta —en la inauguración de una tienda, en algunos cumpleaños, en el aniversario del supermercado— la iglesia está muy presente: se oficia una misa y los sacerdotes participantes dirigen en parte la celebración; como decía, el divorcio se ha aprobado hace algo más de una década y no cuenta con la simpatía de gran parte de la comunidad; el *top-less* está prohibido por razones morales; los jóvenes acuden a misa antes de salir a divertirse los sábados por la noche…

*

El archipiélago es casi un paraíso no solamente geográfico, sino también de bienestar cotidiano. Su calidad de vida es una de las indiscutiblemente más altas del mundo occidental: además de disfrutar de los tópicos mediterráneos, la tasa de desempleo apenas existe, nadie padece privaciones y la seguridad llega a tal punto en ciertas zonas que la isla pequeña ni siquiera cuenta con una cárcel. ¿Cómo es posible creer *tanto* cuando uno vive en lo más parecido a la encarnación del paraíso? Ya decía Truman Capote que vale más mirar al cielo que vivir en él. Desde entonces, añoro las cúpulas. Observarlas, idealmente desde casa, me transmite una paz que supongo religiosa.

Después de pensar en los apartamentos como algo compuesto por un número de piezas con su función particular; después de asociar cada actividad cotidiana a una fase horaria y cada fase horaria a una pieza del apartamento; después también de adecuar esas disposiciones a funciones de relación social e incluso, no va más, a funciones sensoriales (una habitación para gustar, otra para oler, otra para palpar)…; después de todo eso, Perec trató de pensar, sin éxito, en un espacio inútil, un espacio sin empleo dentro de una casa. Sé que no le fue posible y que si para mí lo es, se debe seguramente a una exigencia menor o a una manera un poco diferente de habitar. Como en la isla las casas son tan grandes y nosotros teníamos tan pocas cosas, la única manera de ocupar cada zona del apartamento era *estar*.

*

Colgó un espejo en la habitación principal y peleó durante varios minutos para anudar un hilo con sus gruesas manos. Al principio, Joe iba mucho a nuestro ático. Lo veíamos casi a diario resolviendo los detalles que hacen falta cuando se entra a vivir en una casa nueva —algo que nosotros pasamos por alto por las prisas, sin sospechar la perfección de aquel refugio y el tiempo que pasaríamos en él—. No teníamos mucho de qué hablar, y además su inglés era escaso. Pero a pesar de los silencios ya le estábamos tomando cariño por sus extravagancias y su actitud enternecedora. Cierta parsimonia laboriosa hacía de él un hombre hecho por la fe católica. Debería haber un mandamiento para ese esfuerzo, pero seguro que en las leyes de su dios también hay normas no escritas. Antes de cerrar la puerta, asomó la cabeza: «*Do you like peaches?*». Marcó mucho la *ch* y la *s*. Qué señor tan raro, pensé, para qué querrá saber eso. Al día siguiente, alguien llamó a la puerta, pero no se veía ninguna silueta a través de la franja de cristal traslúcido. Al abrir, en efecto, nadie. Hay gestos que se aprenden de la ficción, por eso miré al suelo, como en las películas. Había una cesta grande y oí una voz que bajaba las escaleras: «¡Joeeeee!». Sonó como una firma. Dentro de la bolsa, una docena de piezas a medio camino entre la fruta y la nube. «Nunca mi mano / sostuvo un / melocotón / estando el Año / tan avanzado…», escribió Emily Dickinson, y yo tampoco había sostenido antes todo lo auténtico que vino aquel otoño y principio de invierno hasta la puerta de casa: fresas, granadas, limones, pomelos… Estábamos saboreando la isla a través de su huerta.

*

Cuando ya llevábamos varios meses allí, al volver del supermercado con nuestras reglamentarias mil botellas de agua de cada compra semanal (tan náufragos que, rodeados de agua, no podíamos beber aquella de la que disponíamos al abrir el grifo), encontramos una nota en el buzón: «Queridos J&A, mañana por la noche haremos una cena en casa con nuestros hijos y nietos y algunos amigos extranjeros. ¿Os apetece acompañarnos? Decidnos y Joe irá a recogeros».

Aceptamos la invitación y nos pusimos nuestras mejores galas, es decir, nos recogimos el pelo y nos vestimos de camisa. Joe pasó a buscarnos a las siete en punto con su viejo coche. No apagó el motor mientras nos esperaba, desde que me asomé a la terraza delantera y él agitó una mano fuera de la ventanilla hasta que abrimos las puertas y reanudó la marcha. ¿Los dos atrás? Alguien debería ir en el asiento delantero con él para que no parezca nuestro chófer. ¿Yo? Quizá le resulte extraño, no están acostumbrados a que las mujeres tengan la más mínima resolución fuera de la familia. Pero hay que romper las expectativas y eso no se hace solo sobre el papel, así que me senté a la izquierda de Joe, que era lo más parecido a la derecha del padre en aquel país (y varias veces cometimos el error de tacto de insinuar que era más bien nuestro abuelo isleño, en un pésimo cálculo de edad sumado al exceso de afecto). Con una maniobra un poco aparatosa nos dirigimos al sur. Después de recorrer la calle principal giramos hacia los caminos que llevan a los pueblos más cercanos y avanzamos frente a la cabina de teléfono desde la que hablamos la primera vez con él, el día que nos quedamos en la calle y encontramos su anuncio: «Ático en alquiler. Solo estancias largas». Si el mundo ya es pequeño, una isla no tiene medida; es como un libro: con más volumen que tamaño, contiene dentro de sí tantas capas como cruces de tramas, y la casualidad no es más que eso, una superposición de planos. Resuena entonces el tono lento de Joe en lo que para mí perdura de aquella conversación telefónica: «Perfecto, os enseñaremos el apartamento. Pero una cosa, ¿cómo os llamáis?». Mero pragmatismo, aquella pregunta fue para mí en aquel momento un regalo de humanidad, lo primero que una aprende en los cursos de idiomas y casi lo único que no le preguntan al llegar a un país en el que se es sencillamente una intrusa que quiere quedarse. Y ahora estábamos en el coche de aquel mismo Joe, gracias a su hospitalidad de cofre y tesoro frutal escondido en las playas de la infancia. Condujo hacia su pueblo y ya la conversación se nos había agotado. Tantas veces en coche pensé en la posibilidad de un juego de mesa generador de temas para hablar. Un poco de originalidad, nada de ascensor —*small talk* por excelencia— ni tiempo atmosférico, tiempo de los hijos. En definitiva, y por favor: que se note que nos importamos. Repanchingado en el asiento, Joe nos iba señalando con su marcadísimo acento isleño cada detalle de la zona —«¡Mirad, ahí está la farmacia!»— y giraba el volante con una sola mano y cierta dificultad por las estrechas callejuelas sin rasguñar el coche. Esa destreza le definía bien como parte de la isla, tal como me delata a mí ahora.

*

El nombre de su casa era sagrado de otro modo: Teak, el de un tipo de madera. Porque el oficio hace el hogar.

Como si estuviéramos entrando no en su vivienda, sino en su historia, vimos un reloj hecho por él, fotos de la familia en todos los tiempos, una escalera que subía hacia el calor y la conversación. Y entonces Frances, en aquella cita con amigos extranjeros —es decir, británicos—, nos dio la bienvenida con su inglés hábil y tocó con los índices cada una de las pequeñas fuentes que la imaginé colocando sobre la mesa un par de horas antes, cuando ya lo tenía todo bajo control: brochetas de mozzarella y *pomodorinos* con albahaca, palitos de pan envueltos con *prosciutto*, aceitunas, las omnipresentes alcaparras, *galletti* y *pastizzi* de ricota y de guisantes. «*Mmm, pastizzi, best thing on Earth!*», dijo su nuera Hilda, nuestra vecina, al tiempo que la familia presumía de esa subsección de la cocina mediterránea que conquistaba a los ingleses.

*

En aquella cena aprendí a hacer lo que me aconsejaban de pequeña: oír, ver y callar. Cosa bastante fácil fuera de contexto. Nosotros teníamos menos años que la media y pocos temas en común, solo curiosidad por el pasado de la isla, así que nos limitamos a preguntar. Allí estábamos y allí se nos ve en las fotos que su hijo Brian hizo incomodando al grupo —«No poséis, seguid a vuestro aire»— y que han quedado de recuerdo. Sentados a la mesa veíamos el salón, mucho más acogedor, adonde Joe se dirigió para escuchar en detalle una de las noticias de aquel día. Nos invitó a sentarnos junto a él en el sofá para que le acompañáramos en la sorpresa: un crucero, el más grande construido en Italia hasta el momento, se había encallado y hundido parcialmente tras el choque con una roca en la isla de Giglio. Había más de cuatro mil personas a bordo, de las que todavía se estaba haciendo el recuento de rescatados, heridos y fallecidos. Literalmente aislada hasta entonces, tuve después de mucho tiempo la sensación de que en el mundo seguían ocurriendo cosas.

ME DESPERTABA siempre más tarde de lo que pretendía la noche anterior. Abría las ventanas y salía a la terraza: primero a la del este, conectada con la habitación, donde buscaba el tacto de la ropa limpia y secada al aire; después a la principal, que me llevaba al frente ajetreado de la capital, y donde veía el supermercado, con vida desde mucho antes de que yo iniciase el día. Preparaba un té y disponía higos, pan y queso sobre la mesa, al tiempo que intentaba decidirme por la silla en la que me sentaría: ¿vistas al faro o a la intimidad de la casa un poco desangelada? ¿Macro o micro? Añadía azúcar y encendía el teléfono móvil para responder a los mensajes que llegaban, todos desde otro país. Era como si no me dejaran estar en la isla por completo. Después de la ducha que permitía el gas siempre escaso —allí todavía se acarrean las bombonas—, empezaba a pensar qué almorzaríamos y qué haría falta para cocinarlo. Salía a comprar, paseaba fugazmente (no es poco el tiempo, sino la isla) y tomaba un té frío de melocotón mientras confirmaba, un día más, que el resto de la gente ya estaba almorzando y yo parecía más turista por los hábitos que por la piel que mostraba falta de sol. De vuelta me encontraba con alguno de los protagonistas del lugar e intercambiábamos algunas palabras, ensayando el idioma de la isla. Ya en casa cortaba las verduras en la terraza, hacía fotos a algunas cosas que no quería olvidar —una nube sobre la línea del horizonte, la forma de una fruta, la sombra de la taza en el suelo de la terraza—, y casi a las tres de la tarde almorzábamos viendo en el ordenador portátil las noticias españolas a la espera del concurso de sobremesa. Para entonces yo ya daba el día por perdido, pero dentro de esa ligera y rutinaria desesperación intuía que quedaba aún la mejor parte, la redención, aquella en la que intentaría justificarlo. A las cinco salía a pasear de nuevo, a conocer alguno de los escondidísimos lugares con los que daba haciendo *zoom* en el mapa como aquel fotógrafo de la película lo hacía en las imágenes hasta dar con el crimen sospechado. Siempre se hacía de noche a medio camino y sentía algo de frío de vuelta a casa. Aunque iba en autobús, en el regreso no lo hacía porque el paseo consistía en encontrar el camino imposible, el atajo que nadie me había desvelado. Ya en la capital, compraba un par de *pastizzi*, que acompañaríamos en casa con una ensalada parecida a su idea, sencilla y verdadera. Leía alguno de los libros nuevos, encendía las pantallas y dejaba, un poco a mi pesar, que se hiciera mucho más tarde de lo que me proponía, mientras era consciente no por el reloj, sino por el vaivén de la luz del faro, que es el tiempo.

*

En *Roland Barthes por Roland Barthes*, el autor repasa sus días de este modo. Antes de leerlo yo solía pensar que la rutina es una de las peores imposiciones, pero no tiene por qué resultar tan inconveniente. Puede haber un ritmo —de vida o de trabajo— que nos enseñe, dentro de lo mismo, a descubrir las variaciones, a manejar los tiempos mientras interpretamos y perfeccionamos la pieza de nuestra obligación de ser. Es la virtud de la repetición.

En los paseos por la ciudad grande voy casi siempre distraída, pero no solo por las prisas o con mis cosas, sino con los edificios a los que me gustaría acceder. Imagino la vista que desde ellos tendría, cómo sería disponer mis libros, mis cuadernos y bolígrafos con un horizonte distinto. Así llegué a obsesionarme con una ventana de la Ciudadela, abierta hacia las luces indescifrables del este. Como Ruth, la joven isleña, hasta ese momento tenía menos pruebas de haber vivido en mi lugar de nacimiento que en aquellos otros de los que también conozco casi todo, donde hablo con la gente como una antropóloga haciendo trabajo de campo. ¿No son fascinantes las personas en todas partes, a pesar de estar siempre cerca, o precisamente por eso?

*

He visitado todas las iglesias y torres de la isla, algo que le hace gracia a Mary Ann. Ella ríe, porque dice que es creyente e isleña, y en cambio no conoce ni la mitad de esos sitios por dentro. Pero yo tampoco puedo enorgullecerme. Según dicen, nadie es profeta en su tierra. Le conté que había visitado la torre de vigilancia de la zona del este y los refugios de la guerra. Esos días, con motivo de una especie de festival, se abrían al público varios lugares normal-

87

mente sin interés, y yo aproveché para visitarlos todos: las bambalinas de un teatro con aires soviéticos y demasiado monumental para la diminuta porción de tierra en la que flotábamos, los entresijos de las carreras de caballos, pasadizos subterráneos, los juzgados, una cárcel de hacía varios siglos… Incluso acudí a una boda tradicional y a un festival de *qaqoċċ* (esta palabra preciosa significa *alcachofa*) que me recordó a otra fiesta en la que un hombre muy emocionado mostraba a las cámaras de la televisión local un queso de ciento cuatro kilos hecho por él mismo. A Mary Ann la cara se le ensombreció después de reír. «Me da pena no conocerlo yo misma, pero tampoco podría haber ido, ya sabes el horario de trabajo que tengo». Lo sabía: de seis de la mañana a siete de la tarde. Jornada completa.

*

«Es preciso que [el proletariado] retorne a sus instintos naturales; que proclame los "Derechos de la pereza", un millón de veces más nobles y sagrados que los tísicos "Derechos del hombre", elaborados minuciosamente por los abogados metafísicos de la revolución burguesa; que se obligue a no trabajar más de tres horas al día, y a holgazanear y gozar el resto del día y de la noche». Lo escribió Paul Lafargue en su *Derecho a la pereza*, un libro que decora las estanterías de las casas de varios amigos (cómo parecer marxista sin serlo por completo) pero que no se lleva a la práctica ni en su mínima expresión.

¿Y qué haremos con el trabajo doméstico? Mary Ann no se ha librado ni por esas, aunque su nivel de responsabilidad fuera de casa mitiga en parte lo que los isleños (y ojalá solo ellos) consideran *naturalmente* una tarea propia de mujeres. A mediados del siglo XIX el capitalismo se fundaba en lo que Marx denominó «explotación absoluta», un régimen laboral en el que se extendía al máximo el horario de trabajo y se reducía también al máximo el salario. Así, durante toda la Revolución Industrial, la clase obrera (integrada por mujeres y hombres) no podía prácticamente reproducirse, porque cada persona trabajaba más de catorce horas diarias y la esperanza de vida era de unos cuarenta años. Es decir, la clase obrera se reproducía con extrema dificultad y sobrevivía a duras penas. Esto, sumado al paso de la industria ligera a la industria pesada —del textil al acero, el hierro y el carbón—, requería un cambio en los modos de vida, algo que asegurase la existencia de trabajadores más fuertes, longevos y, por supuesto, productivos. Se introdujeron entonces reformas sanitarias y se mejoraron las condiciones de vida lo suficiente para dar una sensación de bienestar. Pero lo más importante fue que se llevó siniestramente a cabo la creación del ama de casa a tiempo completo. Los planes tomaron forma y a partir de aquel momento se redujo el número de horas de trabajo de las mujeres en las fábricas —especialmente de las casadas— para que así pudieran realizar las tareas domésticas, en las que estaban empezando a educarse. Se aconsejó a los patrones que se abstuvieran de contratar mujeres —sobre todo a las embarazadas o en edad de estarlo— y se introdujo el llamado «salario familiar». Según el nuevo contrato social, la mujer, a través de su recién estrenado instinto maternal, se encargaba de garantizar la generación de nuevos cuerpos que en el futuro serían mano de obra; también se encargaba de la buena inversión del salario, así como de que su marido estuviera lo suficientemente bien cuidado como para ser consumido por otro día de trabajo.

*

Puedo decir «No contéis conmigo» o hacerlo de un modo más vistoso, como cuando Barthes escribió: «Última estasis de este descenso: mi cuerpo. El linaje terminó por producir un ser para nada».

*

A Mary Ann la veía casi a diario, como a las demás empleadas del supermercado, pero ella era un poco más amable y solía comentar algo, risueña. «Buena elección, como siempre», me dijo cuando le pedí las chocolatinas que compraba en el paraíso del azúcar que es la isla. Aunque nunca estrechamos demasiado los lazos durante mi estancia, cosa casi imposible con los isleños (*forastera*, ya me lo había dicho mi abuela), fue una de las personas que más se entristeció con nuestra marcha. Por eso intercambiamos señas y empezamos a felicitarnos las navidades y los cumpleaños. A veces me envía vídeos de la isla al amanecer, antes de ir hacia su puesto de trabajo. Y si parece que la amabilidad no *sirve* para nada en ese mundo —como si tuviera que hacerlo—, a mí me gusta pensar que por eso ella ha ascendido en la empresa: ahora es una de las jefas.

SE DICE que Roberto Merino solía detenerse frente al restaurante Dominó, en Santiago de Chile, a mirar a la gente comer *hot dogs*: «Algunos lo hacen con jovialidad; otros, con tristeza y una mirada ausente, de falta de sueño». En la isla no hay restaurantes con espléndidas cristaleras para apostarse afuera y contemplar el festín ajeno. De hecho, diría que apenas hay ritual excepto por el platito extra que ponen en las mesas. Y todo ha ido cambiando un poco desde que McDonald's llegó a la isla a principios de la década de los dos mil. Qué tentación pensar que las invasiones de hoy se visten de progreso. De cualquier modo, la cadena no fue a corromper ninguna alimentación mediterránea, porque para entonces los domingos ya tenían su nutrida oferta de colesterol y diabetes: puestecitos desperdigados por carreteras, playas y aparcamientos, humo y fritanga, la fumata blanca del país más obeso de Europa. Quién diría que el paraíso huele a aceite hervido cien veces. Los domingos de invierno sorprende ver a la gente comiendo dentro de los coches, engullendo, con el móvil en la otra mano, hamburguesas y patatas fritas en el arcén de alguna carretera secundaria (si es que no lo son todas excepto la que lleva y trae del ferri), cerca de alguno de esos puestos de comida rápida que poco tienen que ver con los *foodtrucks* de moda y sí, más bien, con lo feriante. En cada playa, y por difícil que sea su acceso, hay al menos uno de ellos. Por ejemplo, la intermedia es una isla sin coches, pero allí, en primerísima línea de costa y en un complicado estacionamiento en desnivel, hay varios camiones que ofrecen la más variada comida artificial. Incluso la fruta parece de plástico. Señal de extranjería es entonces ir a la playa con pícnic propio, aunque sea de productos autóctonos: una ensalada con alcaparras, un bocadillo con pan *ħobż* y queso local, acompañado de *galletti*. Y de postre un melocotón de la huerta de Joe, por supuesto. La dieta mediterránea es una afrenta a la aceitosa comida despachada en los restaurantes sobre ruedas.

*

Al final de un verano adolescente llegué a uno de los libros más divertidos de Roger-Pol Droit. Por entonces aprendí ya que no era distinción la presencia de la palabra *filosofía* en el título de un libro, más bien al contrario. Pero en este caso la etiqueta era fiable: un libro de perplejidades, manual irreverente para aflojar el corsé de nuestra compostura. De entre los ciento un ejercicios propuestos, uno consistía en buscar un alimento azul. Naturalmente azul. No lo conseguí sola y no lo conseguí tampoco el año siguiente a su lectura, acompañada entonces por la pandilla veraneante en el pueblo, a la que yo había contaminado con la propuesta. «¡Tiene que haber algo azul que se coma!», decían en las escaleras de un hotel frente al mar, de noche, donde nos reuníamos para creer que desorganizábamos un mundo que olía a salitre. Y alguien se levantaba a coger un helado de la máquina que habíamos trucado. Poco duró aquella magia. Aunque no era un disgusto, porque nuestra ausencia de problemas económicos por entonces tenía mucho que ver con vacaciones colmadas de bicicleta y playa, con no necesitar nada más. «Sí, pero no sabe igual», dijo uno de mis amigos, «si no es gratis no sabe igual». No lo sé, para mí el azúcar es azúcar a cualquier precio. Y los colores eran más lógicos que los de los granizados de la isla que vi cuando me acercaba a esos puestos a comprar, para su sorpresa, una botella de agua.

*

En la playa más extensa de la isla hay un paso de madera que conduce desde el aparcamiento hasta mitad del arenal, y que sostiene un continuo trajín de personas que van y vuelven de la toalla al puesto de comida. Ojalá narrar una imagen fuese como disparar una bala, porque de tan cantábrica, mi posición en la playa está educada para evitar la primera fila. Así, al menos, me regala postales en movimiento. Puedo evocar entonces una estampa de la isla enmarcada por el agua y las rocas que cierran la bahía a cada lado. En ella veo dos sombrillas de colores (rojo, azul, amarillo, naranja) que funcionan como segundo marco. Y en el centro, los protagonistas: una pareja de británicos tan evidentes como el horizonte, mayores, obviamente quemados por el sol y en sendas tumbonas. Barthes diría que el *punctum* de la foto está en las tres cajas de *pizza*, grasientísimas, que apoyaban sobre una toalla a sus pies. Mi pie de foto: «Cómo ha cambiado el paraíso».

*

Todo esto ya estaba. Pero la cadena de comida rápida les hace sentir parte de algo más grande, una red coherente de establecimientos que vinculan la decadencia de la isla con la del resto del mundo.

A PRINCIPIOS del mes de diciembre de aquel año, ya instalados desde hacía varias semanas, mi tiempo era, en efecto, una tímida y fracasada lucha por adaptarme al horario. Me forzaba a madrugar para nada en concreto, enviaba mi —en aquel contexto— excéntrico currículum, leía como si me fuese la vida en ello, tendía la ropa a contrarreloj y lo empecé a hacer todo por fin tan temprano como si quisiese adelantar las horas para llegar pronto a algo. Por eso, porque no lo conseguía y mucho menos con invitados en casa, a las cuatro de la tarde de cierto día aún estaba de sobremesa. Cafés, tés, frutas y *mqaret* llenaban el mantel. Hablábamos sobre el plan de la tarde, aunque los invitados apenas nos miraban, era más atractiva la vista de la Ciudadela a nuestra espalda. Con cada visita teníamos que repetir el habitual *tour* de escenario y foto, un poco avergonzados por nuestro papel de guías turísticos particulares, pero al menos así habíamos entrado en contacto habitual con algunos personajes de la isla, como el barrendero rasta —«¡Hey, miradme, soy el Bob Marley isleño!»—, el repartidor de fruta, los dueños de las barcas que nos llevaban a los islotes —a los que les cundía más dejar la pesca y dedicarse a transportar visitantes—. Se empezaba a confirmar aquella curiosa forma de pertenencia: si apareces en varias ocasiones en algunos lugares a lo largo del tiempo —es decir, más de dos semanas seguidas—, eres uno de ellos. La familia había ido para vernos a nosotros, pero era inevitable que quisieran ver también lo que ofrecía un sitio tan reducido y ligeramente exótico. Querían conocerlo todo; es decir, querían fotografiarlo.

*

Unos golpes contundentes insistían en el aire a través de las ventanas, y al guardar silencio me di cuenta de que llevaban ya tiempo sonando. Me preguntaron qué significaba aquello. Les hablé de las llamadas a misa, de la música habitual de las campanas, pero no supe decir más. En esa ocasión era diferente. Un golpe. Silencio. Otro golpe. Silencio. Así en una sucesión obstinada. Aumentaba la velocidad y disminuía el tiempo de reverberación que nos oprimía el pecho. Ya sabía lo que era. Al día siguiente, en el periódico, me llegó un sonido nuevo de campanas: «Un joven de veintiún años falleció esta mañana cuando su coche cayó al mar. El accidente ocurrió poco antes de las seis de la madrugada. Las fuentes informan de que la víctima, miembro del cuerpo de policía, tenía intención de conducir el vehículo dentro del ferri, pero de alguna manera tomó el camino equivocado. Poco antes se le vio dormido dentro del coche mientras esperaba la llegada del barco. La víctima fue sacada del mar con la ayuda de una lancha de rescate del ejército y un buceador. Los intentos de devolverle la vida una vez fuera del agua y en la ambulancia fueron infructuosos. La investigación policial y magisterial está bajo secreto de sumario. El joven se había unido al cuerpo de policía en junio del año anterior».

Peter Handke se autodenomina «amante de la espera» y para él hay una relación ineludible entre la inspiración y el ocio. En aquel tiempo yo necesitaba inspirarme para descubrir a qué quería dedicar mi vida, ya que tenía que dedicarla a algo, al menos obligatoria, oficial y asalariadamente. Debía pensar, probar, actuar por contraste. Así que su nombre no sería solo *año sabático*, sino *año de ocio*, *año de espera*. Porque no es lo mismo ocuparse de descansar que no ocuparse de nada a expensas de lo que venga, cosa que ni siquiera parece posible. Cuando nuestro día viene marcado por la jornada de trabajo, en esas ocho horas sobrantes, las horas «para lo que queramos», hay un tiempo que inevitablemente debemos destinar a la espera. En la cola de una tienda, en la de la consulta médica, en la del tren.

*

«Tiene uno prisa, la tiene siempre, metida en el organismo, donde se ha ido incubando como una enfermedad. […] Tanto es así que al tiempo de pensar se le suele llamar perder el tiempo, porque el ser humano se ha hecho esclavo de la prisa y siente como inerte y sin consistencia todo lo que no lleva su marca angustiosa», escribió Carmen Martín Gaite. Lo hizo en *Recetas contra la prisa*, un texto de

1960 que es una radiografía nítida de nuestra vida contemporánea. Si nos redefiniéramos hoy como seres humanos, diríamos que somos seres acelerados. No hablamos ya de hacer las cosas deprisa, inevitablemente, sino que *tenemos* la urgencia de manera física y, como de otros malestares silenciosos, no somos tan responsables. Es compartido y un poco forzado. Ojalá desactivable.

Yo quería frenar porque a mayor prisa, como dice Martín Gaite, mayor ofuscación, ¿y quién quiere cumplir la fatalidad de una conciencia tardía, caer en la cuenta cuando ya es demasiado tarde? Por supuesto, la prisa no es propia de las ciudades, es una organización sistémica que interiorizamos, así que, a pesar de todo, me la llevé como una nube negra sobre mi cabeza y durante los primeros meses en la isla parecía movida por un cometido inaplazable, de aquí para allá, buscando las mejores naranjas e higos para el desayuno, saludando apurada a los conocidos. «¡Eh, yo también estoy ocupada!», parecía decirles, deseando encontrarme a Frances para que lo viera. Todavía no podía evitar ser como el personaje de ese texto, el que corre hacia el autobús y al perderlo siente el tiempo vacío, inútil. Un tiempo de espera que despreciamos en el imperio de la prisa. Pero quería cambiar y, devota de las vísperas, empecé a entender que quizá estaba viviendo el regalo de una espera sin finalidad: la burbuja del tiempo suspendido.

*

¿Esperaríamos si no estuviéramos obligados a ello? Hay esperas breves y de larga duración, esperas con término y otras que resultan infinitas. Las hay con objeto y sin él, un poco ciegas. Hay un tipo de espera público y otro más privado, más íntimo. Yo parecía estar siempre en las segundas, en una espera indefinida que me daría las claves de lo personal, de un futuro que aún parecía susceptible de tomar forma por mi decisión. A veces me gustaba imaginar que aguardaba al final de una fila de personas que dudan y dudan y dudan, y a cuyo término alguien les entrega un papel doblado con la solución a los dilemas. Mi profesora de inglés en la isla, británica hasta la médula, nos contó el primer día que parte de su identidad nacional es esperar para cualquier cosa. Y a modo de broma añadía que, si veía una cola, se ponía al final de ella, especialmente si no sabía para qué.

*

Como estamos sobre la faz de la Tierra solamente unos años, las esperas parecen cárceles provisionales. Y así, para evitar su derroche de tiempo, hemos ido ahorrando pequeños fragmentos: dormimos menos, escribimos mensajes resumidos, pasamos por la caja rápida del supermercado y vamos siempre al grano de lo que queremos contar. Pero hay un placer atávico en todo lo que se demora y no sale como estaba previsto.

*

Parece la condena de la civilización, pero hacer cola es también un rito, una forma de la democracia, el espacio de espera por antonomasia. Al principio las filas eran grandes muchedumbres en las que tenían prioridad los hombres voluminosos, así que las mujeres terminaban siendo arrolladas si pretendían cambiar ese orden. Afortunadamente, al llevar más de doscientos años organizándonos de esta manera, el asunto ha evolucionado. El concepto moderno de cola se *inventó* durante la Revolución francesa, para obtener un trato igualitario al recibir pan. Esperar turno era la igualdad en el lema «Libertad, igualdad, fraternidad», nadie podía considerarse más importante que la persona que estaba delante o detrás de uno mismo. Al analizar la época, los británicos se fijaron en eso tan extraño que hacían sus vecinos. Les pareció que eran muy organizados y decidieron actuar por imitación. Aprendieron rápido y alcanzaron su esplendor en la Segunda Guerra Mundial, en la espera para el acceso a los alimentos racionados, donde estaban orgullosos de contribuir al buen orden. De hecho, como mi profesora, decían que al ver una cola lo mejor era ponerse en ella a esperar, aunque no se supiera a qué, porque las probabilidades de que al final *cayera algo* eran muy altas.

Pero esta época dorada de la espera terminó pronto, y en los años cincuenta del pasado siglo la gente empezó a enfadarse. Algunos *amenizan* ese tiempo muerto con pistolas o cuchillos para tomarse la justicia por su mano. Algunos mueren en las filas por lo que ocurre en ellas.

*

Esperar ordenadamente nos hace más civilizados, y también parte consciente del enorme volumen de personas con los mismos deseos. Es una de las formas de vivir en comunidad, algo que nos da la idea clarísima de que no estamos solos ni somos los únicos que vamos a hacer algo. Hay decenas, centenares o miles de personas que quieren hacer lo mismo al mismo tiempo. Nace entonces una de las paradojas del turismo contemporáneo: el anhelo compartido y ya imposible de ir a un lugar desierto.

*

La fila más larga —por la que se pensó que pasarían todos los rusos durante la época de la Unión Soviética— fue la de la tumba de Lenin. La única que la superó fue la del primer McDonalds, inaugurado en 1989. Así se creyó que el capitalismo había derrotado al comunismo. Sé estas cosas porque hay un hombre experto en psicología de la espera. Se llama Richard Larson, es profesor de la Universidad de Massachussetts y se le conoce como Doctor Cola. Decidió dedicarse a ello después de esperar durante media hora para comprarle una bicicleta a su hijo, algo que le puso de muy mal humor. Llevaba tres semanas enfadado por aquella espera y se dijo que, ya que se dedicaba a la investigación, debería escribir y pensar sobre el tema. Fue de esa forma como llegó a saber que quien utiliza el transporte público para ir al trabajo a diario invierte en ello uno o dos años de su vida, o que en las oficinas bancarias es mejor imponer una espera múltiple, porque de este modo los clientes tienen la sensación de poder elegir, de tener voluntad sobre algo de eso. En un restaurante de Montreal famoso y muy concurrido hay colas durante todo el día, y también enfrentamientos por ellas. Su dueño dice que hay turistas que no están acostumbrados a esperar cuando viajan, y por eso dicen: «¿Por qué tengo que hacer cola? ¡Tengo dinero!».

*

La isla, que está polarizada en sus respectivas influencias británica e italiana, también lo está en esto. Los británicos se enorgullecen de cómo hacen cola porque piensan que en el resto del mundo no saben hacerlo, se apelotonan y se hacen hueco a empujones. Presionan, zarandean, no tienen formas. Son masas enfurecidas. «Hacen amagos de colas, no colas reales, sino *colas italianas*». ¿Por qué esa fascinación por la espera civilizada? Dicen que no es un mal lugar para hacer amigos o encontrar pareja, y durante las revueltas, incluso los ladrones ingleses aguardan su turno para saquear.

*

A mí me gustaba esperar para ser atendida, era el único momento en el que sentía de veras que formaba parte de aquella comunidad compacta. Mis vecinos solían respetar, al margen de mi tarjeta de residente, las normas no escritas. Y allí, en esa espera, confluían dos de las cosas que más me gustan de vivir en el extranjero: no entender bien el aluvión de lenguaje que me rodea... y los supermercados. La sensación de estar desubicada —también en el idioma— estimula la imposibilidad de conducirme con el piloto automático a la hora de hacer la compra, tener la duda de si estoy llevándome lo que pretendo o una sorpresa (posiblemente grata), escuchar a través de los altavoces las cuñas publicitarias en otro idioma, abastecerme como a tientas.

*

En el futuro no habrá apenas colas: seguiremos pidiendo la cena y un café desde casa, nos conducirán coches autónomos y amables, pagaremos a otros para que esperen por nosotros... Será un mundo sin la tortura física de guardar cola. Será un mundo más eficiente y, en contra de su propósito, aún más aburrido.

*

Cuando entra en el supermercado, Annie Ernaux entra también en la sede de la prisa vacía y de la condición humana. Así lo cuenta minuciosa y cautivadoramente en *Mira las luces, amor mío*, un libro en el que reproduce el diario de visitas a un conocido hipermercado de su zona en las afueras de París: «Aquí es donde nos acostumbramos a la presencia cercana de los unos y los otros, movidos por las mismas necesidades esenciales de alimentarnos, vestirnos. Lo queramos o no, aquí nos constituimos en una comunidad de deseos». Y no obvia que los espacios de compra han sido concebidos como los lugares de trabajo, «con una pausa mínima para un rendimiento óptimo» por parte del consumidor. Para ella, en esa espera previa al pago nos asomamos a un abismo: el de la despersonalización.

105

*

Normalmente, un tiempo de espera desconocido se hace más largo, pero el mío en la isla fue brevísimo lo mire por donde lo mire. Quizá es cierto que si estás entretenida el tiempo pasa más rápido; o quizá cuando una empieza a disfrutar de las cosas, estas parecen efímeras. Allí quise ser *la enamorada* de los famosos *Fragmentos de un discurso amoroso*, y por eso reconquisté mi tiempo a través de una instalación en la espera que me permitía observar el entorno con más detenimiento.

*

Después de los grandes honores en el funeral, después de los lamentos por lo trágico del accidente, nadie quería hablar de la muerte de aquel joven en el puerto de la isla grande. «Él era policía, así que es un tema delicado», me recondujo Hilda cuando hablé de ello en el pasillo de los dulces del supermercado.

Bertrand Russell también se vio envuelto en lo contradictorio: «Como casi toda mi generación, fui educado en el espíritu del refrán "La ociosidad es la madre de todos los vicios". Niño profundamente virtuoso, creí todo cuanto me dijeron, y adquirí una conciencia que me ha hecho trabajar intensamente hasta el momento actual. Pero, aunque mi conciencia haya controlado mis actos, mis opiniones han experimentado una revolución». Esa revolución de pensamiento le llevó a promover, desde la escritura, un abandono del yugo del trabajo en las sociedades industriales y una defensa de la pereza. «Pero en los países que no disfrutan del sol mediterráneo, la ociosidad es más difícil y para promoverla se requeriría una gran propaganda», siguió escribiendo. *Touché*, me dije yo desde el epicentro de ese sol.

Me planteo a menudo cuánto se tarda en no hacer nada, o si soy capaz de recordar un día sin lluvia ahora que todos son iguales y en la ventana aparecen las decenas de gotitas que no dejan ver nítidamente más allá de mi cristal. Pero no suelo preguntarme dónde dormiré esta noche o cuál es el mejor bordillo de la ciudad. Si no lo hago es porque lo sé y no quiero, tengo la respuesta tal como tengo una cama que lleva mi nombre, y su almohada mulle con la misma paciencia cada noche esas otras preguntas de las que mi vida no depende.

El mejor escalón de una ciudad es el que está de camino a un supermercado. No al lado ni demasiado lejos, sino a la suficiente distancia para dejar que la empatía se digiera. Las vistas y la afluencia son mejores en alguna plaza concurrida, pero qué turista reparará en que la pobreza no se cancela durante sus días libres. Y los vecinos pueden darse pequeños caprichos diarios en el bar de al lado, pero suelen decirse que son muy merecidos. Otra cosa, en cambio, es hacer la compra, porque no se negocia que es obligación. Así que si a la vuelta ven al necesitado todavía ahí, sentado a una distancia prudencial, paciente y frío como el día, es probable que amontonen en una mano las bolsas llenas de lo básico y las monedas, como una culpa ahora definida, empiecen a sonar.

Algunos buscan el sentido de la vida en el trabajo y lo encuentran. Creo que es porque hay un acuerdo tácito: casi todo el mundo piensa que una de las cosas más importantes es sentirse útil, por eso la humanidad se reproduce, por eso las personas se obligan a ejercer profesiones que les llenen y *aporten algo a la sociedad*, por eso caen por estrés en una depresión nerviosa y encuentran la salida volcándose en la causa que allí les llevó. Es nuestra enfermedad, pero como la tenemos todos, apenas reparamos en ella.

*

Esto no lo subrayé: «Según mi parecer, no hay nada más abominable que una vida ociosa. Ninguno de nosotros tiene derecho a algo semejante. En la civilización, no hay sitio para gente ociosa». Pero añadí, con cierta rabia, una nota al margen: «Jajaja».

*

Mendigo. Pocas cosas son tan difíciles de nombrar. ¿Qué designa la palabra según quien la pronuncia: una esencia, una especie de oficio en negativo, una pérdida de humanidad? En una vida como la que llevé en la isla, incluso contada desde hoy, sigue habiendo obligaciones: se hace la compra y se cocina, se estudia dentro y fuera de casa, se amontonan los mensajes en la bandeja de entrada del *email*, se intenta socializar. Pero de vuelta a casa desde la frutería nunca había nadie con el brazo extendido en señal de petición. Era extraño, ni un solo mendigo en toda la isla. Empecé a fijarme con tanta atención que mi búsqueda parecía un deseo.

*

Vernon Subutex llega al gesto después de una larga caída. Abre la mano, sostiene el codo con la otra y parece que no sabe qué esperar: quizá las cintas de vídeo que pueden salvarle, la cazadora que perdió después de una trifulca, la bolsa con mudas, el vinilo firmado por un amigo famoso, los auriculares, las llaves de la casa a la que ya no le permiten volver. No llegan a caer las monedas, pero de qué le servirían si ya no tiene dónde acumular, tiene rotos los bolsillos.

Subutex es un personaje de la página y también de la pantalla. Lo ideó Virginie Despentes para hablar de las dificultades de la edad madura en el París de este tiempo. Antiguo vendedor de vinilos, dandi rockero que vive de un carisma pasado, es difícil de creer cuando su nombre viene de una combinación del pseudónimo de Boris Vian y de una de las denominaciones comerciales de la buprenorfina. Algo así como Clarín Metadona, diríamos aquí. El fin del vinilo lo conocemos, y después de años con la tienda cerrada y sin ingresos, Subutex es desahuciado. Desde ese momento, mochila en mano y en mentirosa peregrinación por las casas de sus viejos amigos («Estaba pasando una temporada en Canadá y ahora estoy en París durante unos días»), va perdiendo todo lo que creía suyo.

Me detengo mucho en esto último y lo hago con una pregunta recurrente que no sirve de nada: ¿qué nos pertenece? Aventuro una respuesta: lo que podemos llevar encima, lo que podemos acarrear.

*

Hay quien extiende la mano y hay quien se quiere explicar, de ahí los carteles. Casi siempre están escritos en un cartón y con letras mayúsculas. Delante de ellos, un pequeño recipiente para recibir el tintineo, para contabilizar lo tangible de los días, lo intangible de la caridad. Los carteles suelen contar la situación de quien los escribe, son una biografía de urgencia: «Sin trabajo y sin recursos», «Sin techo», «Pido una ayuda». Si no la imagen, puede ser la palabra la que despierte compasión.

*

Antes de Subutex estuvo Wesselrin y parece que todo va de música, de un París en el que no llueve nunca, de descifrar qué y quiénes son los amigos y de dónde se duerme cada noche. Pierre Wesselrin es un protagonista infiltrado en la cinematografía de Éric Rohmer: depende del dinero y apenas habla de amor. *El signo de Leo* se estrenó en 1962 y en ella este personaje aparece como un extrovertido y carismático trompetista al que de pronto las deudas asfixian un poco más que al resto del mundo. Surge entonces una angustia nada sentimental y se percibe el tonelaje del tiempo para quien, en efecto, no sabe dónde va a dormir. En vez de las casas de los amigos, en este descenso conocemos los hostales de París en gradación descendente. A ellos lleva el músico lo poco que puede ir comprando: una ración de pan, una lata de sardinas cuyo aceite le salpica el pantalón. No tiene con qué lavarlo y ese estigma se expande en la pernera, marca su deambular. En un París soleado y casi vacío, los amigos se van de vacaciones y no le pueden dar asilo o prestar dinero porque sencillamente no están, pero algunas pistas de contactos posibles mantienen la esperanza a medida que él cae.

*

Como la enfermedad, la calle es eso que pensamos que no nos ocurrirá a nosotros. Subutex y Wesselrin van perdiendo capas en cada escena, van avanzando solo un poco más, manteniendo el espejismo de que su situación aún es reversible. Se tensa en cada escena la cuerda que los une a un mundo que el espectador no sabe si merece la pena mantener. Piensa eso quien lo ve o lo pienso quizá solamente yo, y al tiempo me planteo si aquello a lo que nos aferramos no es ya el trillado sueño americano, sino solo un bienestar muy básico. Pero cuál si apenas dos generaciones atrás sabían que un par de zapatos no alcanzarían para el invierno y le daban la vuelta a los abrigos buscando un poco de calor. Ahora podemos tenerlo todo, solo nos piden a cambio un compromiso duradero, puntual e ineludible: obedecer con entusiasmo.

113

＊

La mano también se abre para marcar el gesto contrario. Sin apenas dinero, ni Wesselrin ni Subutex se aferran a los últimos céntimos. ¿Para qué? El mendigo es el que ya no espera nada y aun así no se queja. Ante quién podría hacerlo. El mendigo es el que ha ido más allá: no compra tiempo con dinero, él es tiempo, el tiempo que se tarda en no hacer nada.

Pero no es cierto por completo: el mendigo tiene horario (aunque en él no haga nada, como tantos otros en la oficina), el horario comercial, y por eso acata los días laborables y respeta los festivos. Su deber es estar, esperar, ser visto. Y mucho mejor si sabe hacer algo más, porque así demuestra que si no tiene trabajo no es por falta de ganas, sino de oportunidades. Es, en ese caso, el abanderado de una supuesta injusticia, la del oficio sin beneficio.

Parece entonces casi imposible no hacer nada, y es un alivio que algunos no tengan dudas sobre eso: no hacer nada no es moco de pavo, el grado de dificultad de no dar palo al agua supera con creces al de hacer algo. Así lo piensa Rachid Lamarti, que cree, además, que suspender toda actividad exige concentración para no acabar haciendo algo... por descuido. Las posibilidades son infinitas, sin embargo. No sabemos no hacer nada porque sí, nada para nosotros, nada ahora y poco más. Pocas cosas cuestan tanto como no hacer nada en este mundo obsesionado con ser productivo.

En su libro *Mundo en venta*, el sociólogo Rodolphe Christin consigue hacernos partícipes de una visión: la atosigante invitación a la movilidad y al escapismo no habla tanto de libertad como de reclutamiento para que la rueda de la industria turística siga girando. Y propone que recuperemos la capacidad de habitar, de quedarnos en un espacio «para explorar y crear, a una escala vecinal las huellas de una vida cotidiana alegre y llevadera». Este *modus vivendi* permitiría «reanudar las relaciones humanas con un sentido auténtico: dar, recibir, devolver. En definitiva, se trata de cooperar y de infundir hospitalidad en nuestro entorno más cercano con el fin de crear espacios donde sea agradable vivir y donde no solo busquemos estar de paso. Esta es la vía para la reterritorialización del tiempo libre».

EL CASO ES que el apartamento me parecía enorme. No se trataba de metros, sino de la cantidad de rincones que, de haber tenido conexión a la red desde el principio, no hubiera percibido. Parece una tontería, más aún por aquel entonces, cuando trataban de convencernos de lo vital que era permanecer *online* pero aún manteníamos una parcela de vida en desconexión. Lo decidimos con toda la naturalidad: como no sabíamos cuánto tiempo estaríamos en esa isla diminuta, no tenía sentido comprometernos con una compañía, instalar, desinstalar, dar datos, dejar de estar tan aislados.

*

Hay que «encontrar, dentro de la casa, ese ángulo en el que no se había reparado, y en el que incluso se puede habitar», escribe esta vez Handke. Así viví yo aquella casa, multiplicándola por dentro, y en ella la isla parecía infinita como a través de una ventana translúcida, seguramente porque no podía consultar en la pantalla cuántos eran sus kilómetros cuadrados, cómo se llamaba el pueblo vecino o cuál era la cifra exacta de habitantes en la pequeña capital. Si quería saberlo, tenía que salir a la calle y andar, hablar, impresionarme. Desde entonces suelo desear en voz baja no ya la isla desierta de una casa sin acceso a Internet, sino al menos un recoveco al que no lleguen sus ondas.

*

Fue casi evidente dar con la escuela de inglés en un pueblo indistinguible de las afueras del centro. Probamos la ruta un día antes del inicio del curso, y a medio camino, como en los cuentos, aparecía una disyuntiva: la carretera se bifurcaba y había que elegir. Ojalá fuese todo tan fácil como tomar una sola decisión, solemos pensar *a posteriori*. Doscientos metros más allá el camino se bifurcaba de nuevo, y esa vez era imposible saber qué alternativa tomar. Ignoraba, por supuesto, que ambos llevaban exactamente al mismo punto, formaban una curva que se cerraba sobre sí misma. (La isla seguía ofreciendo metáforas muy fáciles). Por eso, por no saber, pregunté y pregunté. Unas señoras sentadas al fresco de la tarde, algo todavía muy preciado en octubre, nos respondieron en un inglés colonial y marcaron el camino que desde entonces repetí a diario durante las primeras semanas. A fuerza de rutina se volvió poco misterioso, excepto por algunas imágenes: el pescado que una mujer de vuelta a casa sostenía por la cola, el hombre que aparecía a la altura de la cabina roja de teléfono y nos saludaba por sorpresa, el gato atropellado por el que el tiempo seguía pasando, la cucaracha que pataleaba bocarriba a la puerta de una de las últimas casas.

*

En aquella época en la que me seguía considerando solo estudiante aún no me había planteado la posibilidad de intentar no trabajar, pero las noticias que llegaban de los amigos de siempre solían sorprenderme por su manera de rellenar huecos con tanta naturalidad: «Me han preguntado por ti y he dicho que te has ido a hacer pulseritas a una isla. Es broma, he dicho que te has ido a trabajar». ¿De verdad me había ido yo a eso? ¿Lo había dicho siquiera? Mi cabeza forzaba las piezas de un puzle que no daba facilidades para mostrar su imagen completa, y durante el día recibía pequeños fogonazos mentales con el mismo subtítulo: «¿Qué harás cuando se acaben los ahorros?».

*

Al contrario que en la ciudad grande, lo mejor de la isla era no disponer de demasiado dinero. Por eso las pocas cosas que pudimos adquirir o que nos regalaron tienen una fuerte carga sentimental, las de lo realmente usado. La taza del desayuno, la tarjeta del autobús, un abrigo con el que me hice cuando el año empezó a refrescar, la bolsa de tela que Frances cosió para nosotros, el sombrero de playa, un peluche, el delantal, algunos huesos de melocotón para plantar en el futuro. El resto de objetos que vinieron de allí llegaron vacíos a su nuevo destino: cosas compradas a modo de recordatorio.

PARECERÉ MATERIALISTA, pero hay que reconocer que los objetos importan: ganan espacio al aire y también a la memoria. La fabrican. Por eso no está de más defender una ruptura del tópico de la virtud minimalista: si atesoramos pequeños trastos es porque en ellos brilla el recuerdo. Ha insistido en ello con la belleza habitual Chantal Maillard, que recoge en uno de sus libros un acto de ineludible generación de la memoria material: «Mientras contemplaba las hojas del hayedo transparentándose en la luz, me sorprendí revisando imágenes pasadas, haciendo comparaciones y lamentándome. Jugueteé un instante con una vaina seca de hayuco que luego me guardé en el bolsillo. Guardarse algo como recuerdo: signo o conjuro que prolonga el instante en su representación, a sabiendas de que nada permanece y que es de sabios saborear lo que acontece sin lamentarse por lo que va pasando y queda atrás». Podría ser esta una manera de justificar el cuestionable arte del *souvenir*. Alguien viaja y vuelve a casa con varios recuerdos tangibles de aquel sitio al que probablemente no volverá. Trae un testigo, entrega un relevo para que vaya el siguiente. Pero, ya puestos a reconocer, habría que decir también que los mejores objetos de recuerdo no se consiguen en viajes de recreo. Al contrario, esta vida que obliga al tránsito nos abre la posibilidad de la extranjería relativa. Habitamos intermitentemente con la habilidad de quien mantiene algunos secretos, pero también con una mirada un poco perpleja. Es de esa combinación de aspecto cotidiano de donde nace el verdadero objeto mágico.

*

En 1919, a Marcel Duchamp y al coleccionista de arte Walter Conrad Arensberg los unía un contrato por el que, a cambio de un sueldo mensual pagado por el segundo, este era dueño de toda obra que el artista crease. Preocupado entonces por la sequía creativa de su amigo, que dedicaba casi todo su tiempo a jugar al ajedrez, se encargó de organizarle un viaje a París. Le animó a estar un tiempo en su Francia natal para empaparse del inspirador aire parisino y volver a Nueva York con talento renovado y ganas de trabajarlo. Pero en París, Duchamp siguió jugando al ajedrez con antiguos amigos y ejercitando la ironía. Pasó después las navidades en Ruan, con su familia, y partió dos días más tarde a El Havre para embarcar en el Touraine, barco que zarparía la noche del 27 de diciembre de aquel año. Antes de volver a Nueva York, Duchamp no se olvidó de Arensberg ni de su esposa, Louise, y decidió llevarles un recuerdo del viaje que le habían costeado. Se dirigió a una farmacia. Por entonces era común vender en ellas jarabes y sueros envasados en ampollas de vidrio selladas, con cuellos originales y curvados. Duchamp pidió al boticario que rompiera el sello de una ampolla campaniforme bastante grande (de unos catorce centímetros de altura), dejara que se perdiera el líquido y la sellara de nuevo, con el aire den-

122

tro de sí. Aquel fue el recuerdo de Francia que ideó, no sin algo de cinismo, para sus benefactores. Como tenían de todo, según contaría más tarde, les llevaba cincuenta centímetros cúbicos de aire de París. Su propio *souvenir*. Hoy este pequeño *ready-made* duchampiano está en el Museo de Arte de Filadelfia y pertenece a la colección de Louise y Walter Arensberg. Al margen de otras consideraciones, la pieza *Aire de París* es, probablemente, uno de los objetos —de los recuerdos— más poéticos en el sentido menos disperso del término. A pesar de su mordacidad y rebeldía, es una manera hermosa de capturar lo inaprensible: el aire de las cosas. Algo así como contener la respiración para regalar el cielo de un espacio lejano.

*

Quizá más allá de una *boutade*, esta ampolla es también y sobre todo un *sentido*: contiene el pneuma, el soplo vital, el aliento poético o divino. Y en el gesto está la clave: yo respiro, retengo la isla y cuento —como cada noche—: uno, dos, tres.

EILEEN fue diáfana desde el primer encuentro, así que jamás funcionaría como personaje. Eileen y su atrezo, Eileen en el mismo escenario, encerrada en la isla. *Nowhere to run to, baby. Nowhere to hide.* Entre su casa y las callejuelas en las que siempre la encontramos no hay más espacio que el de un teatro de dimensiones modestas. Era habitual caminar juntas un tramo por la calle de la palmera y el convento, una de mis preferidas por ser una metonimia de la isla. Su posición es paralela a la estación de autobuses y perpendicular a la arteria de la capital, que une con una de sus plazas más transitadas. En esa calle niños, madres y jóvenes preparaban o mantenían el engranaje de los estudios. También hay un par de administraciones de lotería y apuestas, varias parafarmacias, *boutiques* de señora y caballero (cada uno por su parte), zapaterías, tiendas de menaje y bazares de lo más variado. La pequeña milla de oro de la vida cotidiana, con fruterías y mucho movimiento durante las mañanas. Recuerdo una de las ocasiones en las que allí, con el letargo de la hora de la siesta, nos encontramos a Eileen. Observamos el andar *apendulado*, consecuencia de una operación que daba a sus bailes una intención solo asumida por los brazos, y refugiados en la sombra, junto a la palmera y la puerta de entrada del convento, intercambiamos apenas un saludo. Pero Eileen encontró la forma de ser ella: «*Oh, boy...!*». Volvía a casa, le dolía la cadera, esa noche iría al cine y quería invitarnos.

*

La isla está llena de cerros y Eileen no puede subir a ninguno. Pero hay otros puntos más modestos desde los que observar el perímetro en el que nos movemos. Está el portal levantado sobre algunos escalones en la parte alta de la arteria de la isla, por ejemplo. Sitúo aquí la cámara sobre el trípode, enfoco en dirección al este y dejo que registre el movimiento de reloj de la rotonda. También su sonido. Uno, dos, tres: grabando. Esta es la capital de la isla, con diez mil habitantes, cierta altivez y un ajetreo amable y contagioso. No tiene la vida de las ciudades del norte de África, pero se le parece. Es una miniatura, una maqueta de ese nervio contagiado por el añadido de una combinación de caracteres. Cuando esto que veo se resuma en un minuto, las nubes pasarán a una velocidad más perceptible y las personas serán pura comicidad con su prisa de juguete. Prisa en una isla mediterránea, es para reírse. Apesta a gasolina y humo, a la bonanza que traduce una engañosa comprensión de las distancias: desde este centro de la isla los coches se distribuyen hacia los puntos cardinales para recorrer apenas cuatro kilómetros en cada uno de sus brazos. Y así lo hacen, con insistencia y fe en esta roca de alquitrán.

A pocos metros, la comisaría mantiene su calma, el ritmo tradicional que es coherente incluso en su arquitectura interior, apenas dos salas con ventiladores en el techo y palmeras de salón en las esquinas. La urgencia es relativa, sobreactuada y casi siempre extranjera, y lleva en la mano la solicitud del famoso papel amarillo con el que justificar la residencia. Ese trámite, si se cruzan los dedos, abarata el precio del transporte en autobús y ferri, también amansa las miradas de los isleños. Unos pasos más adentro, el edificio se abre a un jardín con un pequeño camino enmarcado por limoneros. En la puerta, dos agentes hablan acodados en la baranda, quién sabe de qué. Los coches siguen girando, a su manera, porque aquí pocos son los que trazan la curva requerida; la mayoría se salta la línea como si lo que contase fuese solo la intención de la glorieta. Y lo foráneo se respira en la duda: a medida que se acerca a la rotonda, cualquier coche de alquiler se sobresalta con un frenazo rápido y ligero: no es fácil romper la lógica simbólica del orden circulatorio, imaginar que nuestra sangre podría fluir en otro sentido.

Las ruedas piden conflicto, pero aquí se lleva con mano izquierda. Cápsulas con personas que imponen su orden objetivo y también su voluntad de llegar antes adondequiera que vayan, siempre cerca. Eso es, ¿a dónde van? Se sabe de su campo, tierra y caza por los perros que asoman medio cuerpecillo por la ventana del copiloto (otra vez la sorpresa del mundo en el espejo), por las azadas y las palas, las cajas verdes repletas de fruta o con sus restos, pero sobre todo por las manos que sujetan el volante. Son recias, gruesas, morenas, y aun así saben hacer ínfimos nudos que parecen imposibles. Se sabe de su mar por las botellas de oxígeno, único aire limpio en esta isla y bajo ella. Se sabe de sus negocios por los motores que la ensucian y que giran en el circuito ciego cuyo centro está aquí, frente al objetivo.

*

Registro todo esto con la cámara, que parpadea en señal de resistencia, y superpongo en mi cabeza los dos planos en los que veo exactamente lo mismo: es tan verdadera la pantalla como lo que puedo mirar afuera, pero es ella también la que limita dos mundos, el del tiempo real y el de un tiempo futuro en el que todo esto permanecerá enlatado con la única fidelidad posible, la de la lente. Eileen cruza el plano y apago la cámara. Vuelvo a vivir solamente ahora. Sube desde la comisaría, va hacia la plaza central. Recojo el trípode y cruzo la calle hacia ella, sin demasiado apuro. ¿Se sabe previsible?

La dejo subir sin interrupción e intento grabar sus pasos, esta vez en la memoria, donde es mucho más fácil combinar los planos. *American Woman, she gonna mess your mind.* Eileen camina por la capital —y casi solo por la capital, haciendo una isla dentro de esta— acompañada siempre por una música inaudible.

Say A,
Say M,
Say E,
Say R,
Say I,
Say C,
Say A,
Say N.

128

She gonna mess your mind. Los canadienses The Guess Who lanzaron este tema en el invierno de 1970. En aquel año American Airlines era ya una de las principales compañías aéreas internacionales y Eileen llevaba una temporada en ella como azafata. Fue un año gélido, pero siempre llevaba minifalda y una sonrisa imperativa. Le gustaba volar, así que la reconversión desde su etapa de bailarina en Las Vegas había sido buena. No se trabajaba menos que en otros sitios, al contrario, y a veces una no sabía si estaba en uno u otro hemisferio, pero también tenía sus recompensas. Cada noche se dormía con la sensación de un éxito impalpable. Volar. Sí, conquistar el mundo desde el cielo. Añoraba al pequeño Mark, el hijo que había tenido con un isleño, pero antes de que los ojos se le humedecieran pensaba en cómo saludaría a su jefe a la mañana siguiente.

*

Es así, la isla está llena de cerros, pero desde hace años Eileen no puede visitarlos. A mí me sorprendieron antes de llegar, cuando buscábamos apartamento en la página web de una inmobiliaria. Me preguntaba, jugando abiertamente con los destinos que solo eran nombres, por la engorrosa orografía que se adivinaba al otro lado de las ventanas de las fotos. Rocas a la altura de un segundo piso, apenas algo de vegetación, matojos que contrastan con la tierra que confirma que flotamos sobre algo sólido. Aún ahora, a pesar de la familiaridad, mantengo la sorpresa, reconozco en esos rasgos un signo que distingue este lugar incluso de su isla hermana. Es una marca de agua auténtica porque, a nada que una lo piense, la belleza solo aspira a unificar. Los altozanos, no especialmente agradables a la vista, al menos al principio, están repartidos de manera uniforme por el territorio, a ningún pueblo le falta su par, y son algo tan constitutivo de la zona como el agua que la rodea. Es esta una isla con prurito.

*

Desde casa, por ejemplo, yo desayunaba observando el cerro que separa el valle del norte de los pueblos del oeste. Estaba a la altura de mi despiste adormilado y, aunque nunca vi a nadie allí, algunos días una bandera ondeaba en el centro de su insignificante cumbre. Cada mañana me decía que de ese día no podía pasar, subiría a la colina. No para nada en particular, sino por ascender, por el hecho de estar allí, de mirar las mismas cosas desde otra parte, como ahora. Imaginaba que una vez arriba dejaría caer una piedra por su ladera. Y también cada día, después de la cena, ladeaba la cabeza al secar la vajilla y alcanzaba a ver la presencia intermitente del faro, ejemplo perfecto de las cosas que solo son cuando aparecen. Asumía entonces, con el pensamiento turbio de las noches, que tampoco al día siguiente llegaría a esa cima. La piedra cae por la ladera. La mujer absurda dice sí.

*

Subí a otros cerros. El que está frente a la basílica de la virgen de las apariciones es accesible porque la devoción ha hecho un camino jalonado de cruces y figuras bíblicas que entretienen el ascenso. Quizá soy la única de la zona a la que su tamaño humano amedrenta. Su historia me distrae y la recompensa es una planicie donde han construido un círculo perfecto al modo de un teatro romano, pero completo, para la santa interpretación de unas pocas misas. Desde allí todavía veo a la muchedumbre saludando al papa en su visita del año noventa. Me han contado ese encuentro tantas veces que he generado un recuerdo tan real como el de una película. En el centro del círculo hay un altar donde a mí me gusta colocar la manzana que siempre llevo de merienda. Es verde, sabrosa e irregular, perfecta como sacrificio.

Aunque no el más elevado, el cerro dominante está en el centro no exacto pero inevitable de la isla, y sostiene sobre sí, desde la Edad de Bronce, la Ciudadela. Esta fortificación completó su forma actual gracias al trabajo de romanos, fenicios y también, mucho más tarde, a principios del siglo XVII, a la mano de los caballeros de la Orden. La historia siempre me ha aburrido por mi incapacidad para memorizarla, por eso trataba de apuntar algunos retazos en los cuadernos nuevos. La búsqueda de información, así como las videollamadas, tenían el fondo de la plaza principal. Nos sentábamos junto al ayuntamiento en un banco, con el incómodo portátil sobre las rodillas, y nos conectábamos al wifi del Café Royal. A veces también íbamos a otro de los puntos de conexión *libre*, en una pequeña explanada delante del centro comercial. Aquel *mall* había sido una bendición y un castigo para los isleños. «Cuando llegaron las cadenas de comida rápida, supimos que empezaba el fin del último paraíso civilizado», me dijeron. Allí no tenía que preocuparme por encontrar una mesa agradable, consumir uno de los tés fortísimos que todavía no me gustaban o charlar un poco con el camarero del Chip & Dale cuando mi inglés o mi pudor aún no alcanzaban para más de unos minutos de conversación. Me acomodaba en el escalón del vestíbulo e investigaba sobre lo que iba conociendo esos días, enviaba *emails* a familia y amigas con la tranquilizadora literatura que me permitían el humor y esa documentación, una humilde tesis sobre la construcción del personaje narrador en el contacto lejano con sus seres queridos: todo bien por aquí, las cosas son muy fáciles, vivimos en la capital, muy cerca de una pequeña ciudad fortificada que fue construida en el año 1500 antes de nuestra era, así nos lo han contado, estamos conociendo a muchísima gente…

*

En realidad, y como de casi todo, de la Ciudadela tuve noticia a través de un mapa. Primero estudio el plano del lugar que habito y después el terreno, a brazo partido contra la lógica. En la escuela de idiomas me habían dado uno. Entre clase y clase, si es que a esos encuentros dentro del aula los podíamos llamar así, los extranjeros merodeábamos por el pequeño edificio a las afueras de un pueblo de la zona oeste y su patio, orientado al este y desde el que se veía gran parte de la isla, que por entonces parecía insondable. Por el *hall* se paseaba también George, aunque con mucha más seguridad. Era algo así como el bedel de

132

la escuela, pero no hay oficio en la isla que se parezca al del continente. George hacía bromas muy blancas sobre la procedencia de cada estudiante, nos daba palmaditas en la espalda y nos contaba de primera mano algunas de las cosas que ocurrían en la isla durante esas semanas. Nada que no pudiéramos saber aunque llevásemos dos días allí: fiesta en el Roof Garden, fuegos artificiales, cuál es la playa oficialmente más bonita del perímetro. Hubiera sido mejor que nos contase cómo funciona la relación entre el aire y las medusas, o la manera de conseguir que los camareros no nos dieran la carta con precios para gente de fuera. El primer día hizo entrega del mapa, cuya producción estaba patrocinada por un nuevo supermercado y se conseguía normalmente en la oficina de turismo, donde trabajaban su hermana y su sobrina. Sin mucho detalle, en el espacio de un folio se mostraba la isla y se señalaban únicamente los nombres de los pueblos principales, las playas y los lugares de interés turístico (cada cala, una sombrilla, una cruz por cada iglesia).

*

A golpe de vista, la Ciudadela ejerce una atracción eviden-te. Se resume en la muralla que la rodea, el campanario y, sobre todo, la piedra caliza que invade toda la arquitectu-ra del lugar y le da una coherencia más que estética. Tras la primera mañana de clases, volví a la capital guiándome por ella, tratando de mantenerla siempre en el horizonte, al final de las estrechas calles primero en descenso y lue-go en ascenso. Cerca ya, almorcé un *pastizzi* de guisantes acompañado por el amargo sabor de un vaso de Kinnie y busqué el modo de acceder a sus miradores. En la isla no es cierto que todos los caminos llevan a Roma, más bien habría que decir que hay un camino para cada destino, eso es todo, y termina una encontrándolo sin demasiado enredo. El paseo desde la escuela había traducido el espacio a una distancia más asequible pero, aun así, estaba cansada. Me detuve antes de subir porque en la plaza vi un banco en el que sentarme. No habrían pasado un par de minutos cuando ella se acercó y arqueó sus cejas pintadas al verme allí. De las manos de Eileen surgió un pañuelo blanco que desdobló con cuidado y colocó sobre el banco para hacerse un hueco a mi lado y recuperar el que era su sitio aunque yo no lo supiera. Fue la primera vez, aunque ya la había visto antes paseando con sus curiosos andares por la capital. El pelo rubio platino y muy corto, varios aros en cada oreja, un aire juvenil y los labios perfilados. Sostuvo el pequeño bolso de cuero negro en el regazo, cerró la cremallera, entrelazó las manos y me miró desde sus grandes ojos azules.

*

Cuando los estorninos inundaron el cielo y los árboles de la plaza y tuve que aguzar más el oído, me di cuenta de que para entonces Eileen ya me había contado gran parte de su vida, presa de una verborrea con un marcado acento *yankee*. Relató su historia tal como lo volvería a hacer casi cada vez que la encontrara, no sé si por confusión o por nostalgia. Japón, Alaska, México e Irán eran solo algunos de los lugares que la habían marcado en la época de azafata,

134

cuando trataba de recuperar su vida tras aquella temprana experiencia de la maternidad que la encerró en la isla. Anclada al terruño, uno de los pocos espacios del mundo que no le interesan en absoluto, se aproximaba a cualquier persona extranjera que pudiera comprenderla mejor que sus vecinos. Era sencillo adivinarlo, desde que estaba allí vivía en otra parte, en otro tiempo. Pero había una constante que la ataba al presente: el banco de la plaza.

*

Aquel sonido de los pájaros marcaba también los cambios de la luz. Me despedí y subí por fin a la Ciudadela. Me dejé fascinar por el giro de la vista, por el regalo de colores y el aroma a sal. Desde arriba una se pone las gafas de mirar hormigas, coches brillando como caparazones de algún enigmático animal en los pueblos cercanos, perfectas líneas hacia el ferri en su urgencia de la tarde, urgencia *inadvertible* desde aquí, donde todo es paisaje a pesar de saber su fractura. No es posible, en cambio, intuir el cruce de otro orden de rutinas, salvo una: en la hora mágica se encienden todas las luces, que recortan diminutas siluetas, y desde esta altura se ve el norte de la isla grande. En los días más claros, también el sur de Sicilia.

*

Yo también he pecado, y suelo engañarme con la cámara, que ahora llevo a cuestas mientras camino detrás de Eileen. Creo que su objetivo matará esta nostalgia que siento de antemano al pensar que en unos años no la veré balanceando la cadera. Me cuesta imaginar su vida llana reducida a las mismas calles, sin el lujo aquí normalizado de observar la isla entera y algo de lo que hay más allá. Ella se conforma con ir cada día al cine. «*Are you going to the movies this evening?*», pregunta de nuevo, como cada vez que nos encontramos. Y no solemos ir, porque la cartelera es lenta como la isla en su cara amable y en un par de semanas ya hemos visto las tres películas que ofrece. Eileen también, pero vuelve y las ve una y otra vez. A veces, ante mi respuesta negativa, se queda pensando y me dice que ese día puede invitarnos. «No es eso, Eileen, es que ya las hemos visto». «Yo también. Qué malas son, ¿verdad?», responde seriamente.

*

Una mañana nos llevó a su casa, un diminuto apartamento muy desordenado. Nunca se conoce tanto a alguien como en el gesto con el que gira la llave de la puerta de su casa. Había vuelto a hablar de sus antiguas amistades y quería enseñarnos unas fotografías. Además de Frank Sinatra, en sus historias suelen aparecer Victor Mature, Marilyn Monroe o Martha, de Martha & The Vandellas. «Me llama todas las semanas y dice que quiere visitarme. Ella cree que no me doy cuenta, pero yo sé que lo hace para comprobar si sigo viva». *Nowhere to run to, Eileen, nowhere to hide.* Confieso que durante un tiempo me costó creerla. Pero esa mañana desplegó varias fotos que salían del caótico contenido de una caja. Comparecieron entonces todos los fantasmas. Ella no comprendía nuestro asombro.

*

La alcanzo ya en la plaza. Me saluda efusivamente y nos dirigimos a nuestro banco, pero no está, lo han quitado con la remodelación de la zona. Gracias a unos fondos europeos la han modernizado tanto que ya no queda sitio para sentarse, la han pulido en un minimalismo urbano que facilita la circulación de los grupos de visitantes guiados y obliga a la de quienes allí vivimos. Buscamos otro sitio y encontramos un apoyo a la entrada de la iglesia. Saca su pañuelo blanco, se acomoda y me pregunta cómo estoy. La dejo hablar.

No hubo una sola vez en la que nos despidiéramos de ella sin volvernos a observarla. En esa imagen suena siempre el principio de aquella canción. Aunque sea solamente en mis oídos.

No siempre hemos vivido deseando más de lo que podemos permitirnos, y no hablo de querer ser mejores o tener más amistades, por ejemplo, sino del ansia acumulativa de cosas, de experiencias, de todo lo que media el dinero. A eso, a tratar de satisfacerlo, lo llamamos a veces progreso (la casa frente al mar, el coche reluciente en la puerta, la novedad gastronómica, los viajes a lugares exóticos, todas las comodidades) porque nos hace perseverar, esforzarnos, trabajar más, y creemos que es bueno. Pero los primeros cazadores-recolectores vivían al día y eso no era un problema. La clave es que apenas tenían deseos materiales y podían satisfacerlos con pocas horas de esfuerzo. Cada jueves durante dos o tres semanas yo recolecté con mi trabajo en la isla cuatro o cinco billetes. El dinero de la beca había empezado a escasear y en la cuenta corriente quedaban algunos ahorros de los trabajos que había hecho en mi tiempo de estudiante, pero por primera vez me preocupaba el futuro. ¿Tenía sentido ahora la pregunta de siempre? Yo me la formulaba con un tono un poco más dañino: ¿a qué me estaba dedicando? Me planteaba sobre todo cuánto tiempo podía seguir viviendo así, porque en el fondo, y a pesar del acuerdo tácito de justificarme como si estuviese haciendo algo incorrecto, aquello no estaba nada mal.

«¿Por qué trabajar si no es para olvidar la propia cuestión: para qué?». Qué pena que lo haya escrito un nihilista, parece que entonces pierde credibilidad.

*

Las ofertas de trabajo eran siempre las mismas: recepcionista, limpiadora, camarera. Además, todo el mundo nos recomendaba ir a la isla grande a buscar empleo, especialmente si queríamos uno más cualificado; decían que, por lógica, el poco que hubiese donde vivíamos debería ser para sus hijos y nietos porque eran de allí. Decidí mantener algo entre la libertad y la supervivencia llamando solamente a los que añadían «Media jornada» en el anuncio, suponiendo que esa media jornada me permitiría disfrutar del resto del día. Pero siempre colgaba el teléfono muy confundida: en todas partes me decían que la media jornada era de entre seis y ocho horas diarias de trabajo. Si cada isleño tenía al menos dos empleos (para pagarse los caprichos que siempre eran ropa de marca, coche nuevo y viajes), y cada uno era de al menos seis horas… las cuentas no me salían. La vida era igual de agobiante y numérica en el paraíso.

*

Workin' from seven to eleven every night, it really makes life a drag, I don't think that's right. A mí me pasó lo mismo cuando trabajé allí. Cada vez que me acercaba al restaurante esos días, o cada vez que secaba interminablemente los vasos con el trapo tibio de la cafetera, recordaba la letra que había cantado a diario todas las tardes después del instituto, cuando veía una y otra vez aquel concierto de Led Zeppelin y reproducía sin cesar el año 1973 en la pantalla y los altavoces. No entendía qué trabajo podría tener un horario tan raro. Uno en hostelería, supe cuando varias amigas se fueron a vivir a Londres. Un empleo como el que yo misma tuve, un par de semanas en aquel otro país anglosajón o, sorpresa, en el que trabajé durante años en la ciudad grande. La cultura es así, ya lo decía.

*

El restaurante se llamaba La Stanza y no sé cómo conseguí que me contratasen (también es un decir) ya por teléfono ni por qué accedieron a mi condición de trabajar cuatro horas y no quitarme durante la jornada el *piercing* que llevaba en la nariz, negativa a la que me aferré como si me importara. No me hizo falta espacio ni tiempo para saber que la joven pareja que lo regentaba era estupenda. Yo solamente quería que pasaran las pocas horas de trabajo y conocer mientras tanto a isleños más allá de las transacciones diarias, pero aunque allí era posible, ambos deseos se reñían cuando llegaba la hora del cierre y servían la cena para el pequeño equipo. Los primeros días me iba a casa como si en el restaurante se hubiera declarado un incendio, ansiaba saltar de la vida posible a la vida segura. Pero la tercera noche, cuando estaba guardando mis cosas en el bolso, me pidieron que me quedase. Así que allí me quedé, delante de un enorme *lampuki* con rodajas de limón, en compañía de gente amable y divertida, pero intraducible en su idioma jeroglífico, riéndome cuando me explicaban en inglés de qué iba la conversación.

*

Mi compañera de trabajo, Jess, era amiga íntima de aquella pareja. Había estudiado Turismo y se esforzaba en hablarme en español, aunque apenas recordaba del colegio y un par de viajes algunas expresiones —«Holaguapacómoestás»—. Tenía grandes planes de futuro que incluían estudiar Cine en Inglaterra, pero murió poco tiempo después, cuando un jovencísimo policía ebrio chocó frontalmente contra su coche una madrugada. Ni siquiera fue juzgado.

*

Yo trabajaba pocas horas y bastante mal (confundía las comandas, no me tomaba demasiado bien ciertos gestos de los comensales), pero mis jefes querían que siguiera, porque, según decían, se me veía comprometida y no era perezosa. Lo que ganaba me permitía pagar la compra mensual y saldaba la mitad del alquiler. Es decir, aquel dinero cubría lo que cualquiera diría lo mínimo, la escasísima vida básica que a nadie parece satisfacer. Pero para mí, que no pretendía más que comprar mi propio tiempo, asegurar un mes más en aquel apartamento de aquel país era todo lo que podía desear. Porque los paseos por la playa, el tiempo de lectura, las tardes de cocinar recetas autóctonas con J. no

142

precisaban de arreglo económico más allá de la condición de posibilidad.

*

Durante los primeros años, ya en la ciudad grande, cobré prácticamente lo mismo y de la misma opaca manera. Pero ya no era suficiente. No me llegaba más que para lo necesario pero peor: el alquiler de una habitación en una casa compartida, la compra y el transporte mucho más caros, los gastos extra. Seguía sin desear demasiado, pero porque sabía que aquí nada es saciable sin intercambio monetario. Sin mar, solo me quedaba el placer de la biblioteca, y el regalo que me hacía a mí misma tras mucho ahorro era siempre un billete de tren que me llevase a algo más parecido a casa. A quienes lo sabían, les seguía sorprendiendo: «¿Cómo puedes vivir con tan poco dinero?». Me encogía de hombros, ya no era del aire y la pregunta había mutado: ¿cómo he podido resignarme a trabajar y no llegar a fin de mes?

Pocos bibliófilos tan vehementes como los escritores. Coexisten en ellos las fuerzas ejemplares de quienes aman los libros desde la creación y la acogida, desde la escritura y la lectura. Comienzan casi siempre por lo segundo y la familiaridad con las letras termina incitándolos a tantear un rol más activo, generador y aspirante a alcanzar las altas cotas de lo literario. Confunden, felizmente, la pertenencia de un libro: ¿es más suyo el que han comprado o el que han escrito? ¿Se sienten mejor definidos como consumidores o como productores de palabra? También en esto podemos vivir sin respuesta.

*

Me pasé el año en la isla oscilando entre dos ansias: llevar a aquella casa enorme y vacía todas mis cosas (libros, en su mayor parte) o seguir formando una vida nueva con lo poco que iba adquiriendo allí. «Entre todas las formas de procurarse libros, la más gloriosa, si se piensa, es la de escribirlos uno mismo. [...] Los escritores son, efectivamente, personas que escriben libros no por pobreza, sino por insatisfacción con los libros que podrían comprar pero que no les complacen». En mi caso, un poco por carencia sí fue, aunque de otro tipo: solo pude llevarme a la isla el libro electrónico y leer en la pantalla, y como allí las librerías escaseaban, entonces escribí. Fue Walter Benjamin quien anotó esa manera gloriosa de procurarse libros. Él mismo también padeció la falta de los suyos en una isla, en su época de Ibiza y ya siempre desde entonces. A partir de cierto momento, su vida se convirtió en un continuo ir y venir de un lugar a otro, buscando la manera de sobrevivir a los devenires bélicos. Por eso, a medida que abandonaba un domicilio y se iba a otro, dejaba la custodia de su desmembrada biblioteca a amigos muy queridos.

*

Antoine Compagnon se pregunta por qué compartir las notas de lectura de un autor que se ha hecho célebre «si no es porque se supone que encierran el embrión de la escritura de ese autor». Sin ninguna pretensión de celebridad, yo digo: no tanto por mis textos, sino por mis subrayados y mis notas al margen me conoceréis. También escribe que por eso se resiste a prestar sus libros desde el momento en que llevan las marcas incongruentes de sus excursiones (e incursiones) a través de ellos, de sus aventuras apasionadas y amorosas, datadas y localizadas, «como si dejar leer las propias apostillas excitadas fuera una forma de exhibicionismo».

*

Si alguien accediese a mi biblioteca y, con tiempo suficiente, quisiera dedicarse a unir todas las G de los márgenes de todos los libros, quizá daría con este mismo que ahora lee.

146

DE ENTRE LAS COSAS que me hubiera gustado hacer, y para las que espero estar a tiempo, algunas no dependen solo de mi voluntad. Sé que ahora madrugaría más que antes, me atrevería a poner en práctica el idioma (el suyo, no el inglés) y cada mañana iría a correr a la playa, objetivos todos ellos dignos de cualquier propósito de año o vida nueva. Y también navegaría alrededor de la isla, pero esto requiere algo más que buenas intenciones, pastillas para el mareo y un poco de valentía. Es preciso un barco, uno que siga la ruta que yo quiero.

*

Estoy convencida de no habitar de veras un sitio hasta que sueño con él, hasta que tengo esa familiar desorientación al contarlo: «Sé que estaba allí, aunque no se parecía en nada». El espacio ha sido leal y fantástico cada vez que he soñado con la isla. Recuerdo, por ejemplo, descender volando yo misma entre millones de luces y hogueras hasta una de las bahías, idéntica a su forma real, recuerdo esperar la llegada de un extraño objeto del cielo en el café Glory of England, o incluso verme flotar en la costa norte, la más cercana a la lengua de mar, en la línea sin playas. Pedaleaba, agitaba los brazos dentro del agua para mantenerme y miraba la forma escarpada de las rocas y su sombra, las terrazas del interior, los cultivos, las chumberas. Me sabía del otro lado y no tenía miedo por lo invisible en mar abierto, aunque la historia llegaba a su fin cuando mi pequeño barco se iba y yo caía en la cuenta de que no podía acceder a tierra. Despertaba entonces, al ver una luz intermitente. Y así es, el faro de la isla está en el norte, junto al diminuto pueblo al que pertenece. Es un faro en lo alto de un cerro, sin gaviotas pero con los demás requisitos para conformar su figura mítica: viento, abandono, paredes desconchadas y una triste majestuosidad. Cuando llegué no tuve interés por ir a conocerlo, pero ya las primeras semanas en la casa de Joe y Frances, la nuestra, cenaba cada noche observando su rítmica medida del tiempo, su aviso para mí aunque estuviese en tierra firme. A veces, incluso, tenía la sensación de marearme como si desde mi silla atravesara un breve oleaje.

*

Desde pequeña he querido ser cosas de lo más dispares: empleada de un restaurante de comida rápida, meteoróloga, tenista, militar, psicóloga, oficinista o librera. Cuando pude elegir, decidí que lo mejor era estudiar para no ser nada concreto. Y tener un trabajo lo menos serio posible.

*

Il-Fanal ta' Gordan, así es como se llama, se construyó a mediados del siglo XIX, una época dorada en la historia de

148

los faros, cuando el método de iluminación vivía el proceso de un gran avance tecnológico. Su inevitable color piedra caliza solamente da carácter a la casa sobre la que se yergue la torre, porque tanto esta como la linterna están pintadas de blanco, o lo estuvieron antes de empezar a cuartearse. Desde la Segunda Guerra Mundial hay un radar que lo acompaña y que sirvió para anticipar los ataques aéreos. Los isleños no pierden la oportunidad de contar que el archipiélago fue una de las zonas más bombardeadas en aquel conflicto, debido sobre todo a su posición estratégica en el Mediterráneo, pero lo que no suelen añadir es que, también en aquellos años, los habitantes de esta isla pequeña y rural se negaron a compartir las cosechas con sus compatriotas de la isla grande. Al contrario: si querían verduras o frutas, debían pagar el doble del que había sido su precio hasta entonces. Ta' Gordan es ahora la principal estación de vigilancia atmosférica del Mediterráneo, pero esta practicidad adaptada a lo largo del tiempo tiene los días contados por la causa habitual: el faro pronto se convertirá en una atracción turística. Será eso y nada más. Imagino que cuando el proyecto de remodelación termine, su enigmática casa será paso continuo de visitantes que se dejarán maravillar por las historias que los guías tienen ya preparadas para ellos (tampoco sería mal trabajo en este extraño futuro, por cierto: inventora de anécdotas para las nuevas atracciones turísticas). Yo conocí esa casa ya sin restos de vida, impenetrable, porque para entonces no había farero en ella desde hacía tiempo: en 1994 se automatizó y solo recibe las visitas de algún operario que lo mantiene a punto. Así que de nuevo lo útil pasará a ser exclusivamente bello.

Y entonces algunas dudas me rondan con intermitencia: ¿es de veras atractivo un faro que ya no hace su función? ¿Cuál es el talento de un farero?

*

Hace mucho tiempo dormí en uno. Fue en el punto más al norte de la península, y era invierno. Como para cuando llegamos ya había oscurecido, mi primera impresión fue de alarma —como para el drama, para ella mi disposición también es excelente—: la torre altísima, la luz entrecortada, el viento y las olas batiendo contra el acantilado. La casa, dividida en dos viviendas simétricas, era pura humedad bien llevada, y me gustó imaginar que del otro lado había una estancia idéntica a aquella en la que yo leía para pasar el rato y distraer el miedo hasta apagar la luz. Sería igual pero vista en el espejo, una especie de mundo paralelo.

Visitamos aquel lugar de fin de tierra porque mi padre conocía al farero, así que aprovechó para contarnos que Eugenio llevaba allí casi treinta años, entregado a una rutina sencilla y razonablemente amable. De joven, después de embarcarse en un pesquero durante un año, la fascinación por los faros le llevó a preparar unas oposiciones y conseguir esa plaza. Allí solo desde entonces, no le parecía que la vida fuese difícil. «Más complicaciones tendría en una casa de vecinos», le había contado. ¿Y quién podría negárselo? No llegué a verlo, porque se iba a dormir un poco antes de que yo me despertara, pero no dejé de escuchar alabanzas a su trabajo y a su manera de habitar ese sitio. Había conseguido, por ejemplo, que no talaran unos árboles emblemáticos de la zona, y desde ese momento el pueblo le adoraba con sus rarezas. También había una nostalgia por adelantado: su jubilación significaría el final del oficio en aquel faro, nadie iría a reemplazarlo. Los últimos años fueron una especie de concesión, una prórroga permitida por la crisis económica, porque los nuevos sistemas tecnológicos para los barcos que reemplazan a los fareros eran tan caros como para no poder comprarlos todavía. Seguía mi padre contando que, en palabras de Eugenio, la nueva monitorización señalaría los fallos al puerto más cercano, pero no podría repararlos. En ese momento entraría en escena el sustituto burocrático, un «técnico de sistemas de ayuda a la navegación» encargado de enmendar los errores del faro. Como si este fuese solo una máquina y no un hogar.

*

También quise (quiero) ser farera: me gusta la luz, el mar, la arquitectura sencilla, el pasado, ser útil de un modo peculiar, lo solemne y también sentir un poco de miedo por las noches.

*

Además de Ta' Gordan, hay también en la isla unos faros muy pequeños que apenas cuentan, pero a mí siempre me hace gracia verlos como su versión en miniatura. Son los que marcan ciertos salientes de tierra y tres hitos en la ruta del ferri: el puerto de la isla grande, el puerto de la isla pequeña y la presencia de un islote intermedio.

Atravesar el canal del archipiélago de madrugada tiene algo de epifanía. A esas horas solamente viajan los agricultores, que llevan en la bodega sus furgonetas cargadas con los productos que venderán a algún intermediario en la isla grande (no sé ahora a qué precio ni con qué simpatía). Durante el viaje, aunque sea de apenas treinta minutos («*Half an hour on the ferry!*», suele gritar Ronnie, el taxista, con indignación por lo que le parece una pérdida de tiempo), se acomodan en la sala principal y dormitan. Por eso es la mejor hora para subir a cubierta. Solitaria, desde allí permite ver un mar en blanco y negro, una masa opaca y casi sólida que la proa del ferri horada para abrirse camino. Podría parecer un juego geométrico, incluso una imagen expresionista, en la magnífica oscilación del barco. A media ruta y a babor, el islote aparece muy cerca con su pequeña luz verde como anuncio. Es una porción de tierra diminuta, pero de madrugada su enigma se multiplica como el de un continente. Prácticamente deshabitada durante la noche (hasta hace unos años solo dormían en ella un policía, un sacerdote y los dueños del hotel casi siempre vacío), se cuenta que un magnate ruso suele alquilar ilegalmente la antiquísima torre de vigilancia para celebrar su cumpleaños. En cada viaje nocturno me imagino ahí arriba a los fantasmas de esa fiesta. Pero no son los únicos fantasmas que veo, el trayecto está poblado de ellos. Al llegar a la última linterna, que marca la curva previa a la entrada al puerto de la isla grande, viene siempre a mí la imagen de aquel coche cayendo al mar oscuro. Y vuelvo a imaginar el parpadeo de esas luces como la última alarma que el joven policía vio antes de morir. De nuevo una confusa simetría: ¿qué se le hubiera podido advertir desde el otro lado, desde el agua? Parece ser que poco antes de la llegada de su ferri, mientras hacía tiempo, se despertó y puso el coche en marcha, sobresaltado. Acudieron entonces los trabajadores de la terminal y también otros pasajeros que se mantenían a la espera. La profundidad de esa zona no es muy pronunciada, apenas ocho metros. En el breve recorrido bajo el agua peleó intentando abrir el coche para salir a superficie. Pero el sistema de cierre centralizado del automóvil se bloqueó y solamente pudo forcejear, golpear los cristales con los codos.

*

Algunas cosas están solo a una preposición de distancia: una matrona ayuda a dar a luz para que alguien nazca; un farero da luz, sencillamente, para evitar que alguien muera. Su talento está en brillar.

QUISE SABER en qué lugar de París había crecido Georges Perec. Fue fácil: en la rue Vilin. Quise saber más, quise verla, pero el mapa *online* me llevaba a una calle vacía que atraviesa una zona verde, el parque de Belleville. Introduje un dato más en la búsqueda, Rue Vilin, número 24, y el simulacro señaló un punto muy concreto en el espacio, pero los tiempos no coinciden porque allí no hay nada que —como aquellas cucharillas— pueda ser numerado, aparte de los árboles o los adoquines o el número de bolardos y papeleras. No quedaba nada de su apartamento.

En el texto *La Rue Vilin*, el propio Perec asiste en seis actos a la desaparición de la calle de su infancia. Para ello, se afana al principio en un puntillismo narrativo que describe todo lo que hay en esa vía llena de vida gracias a una peluquería, un hotel, un restaurante. Empieza visitándola a finales de febrero de 1969 y vuelve varias veces hasta 1975. En cada nueva incursión descubre que son cada vez más los negocios cerrados, las puertas condenadas, los edificios tapiados. La última vez, escribe: «La casi totalidad del lado impar está cubierta de tapias de cemento. Sobre una de ellas, un grafiti: TRABAJO = TORTURA».

155

AHORA SE RECOMIENDAN ciertos destinos con este reclamo: «Un lugar donde podrás sacar la mejor foto». Para
querer ir, según parece, ya no es tan importante que el
turista potencial pueda relajarse y tenerlo todo incluido,
aunque también. La clave es que pueda mostrarlo, como si
un espacio bonito, por contagio, nos hiciera buenos, ver-
daderos y bellos a nosotros mismos (o nos recordara que
podemos serlo si posamos junto a él).

*

Xiapu es un pueblo al sur de China que se ha reinventado
como decorado para que los visitantes hagan allí fotos y
las compartan a través de Instagram, el evangelio virtual
que predica su mensaje y calcina el bendito mundo desconocido. El acceso a esta red social está bloqueado en el
país, pero los que allí viajan pueden subir las imágenes una
vez de vuelta en sus respectivos lugares, y así lo hacen. Algunos equipos de fotografía han trabajado para crear este
escenario anclado en otra época (curiosa ocupación que
anoto para tiempos venideros), y varios actores se hacen
pasar por agricultores y pescadores que, desganadamen-
te, posan para darle gracia a las fotografías de quienes les
observan. Es decir, como gran parte de sus residentes tam-

bién han tenido que reinventarse, ahora son ellos mismos los modelos que ejecutan los gestos de su antiguo trabajo, pero sin trabajar realmente: toman la azada para no labrar la tierra, lanzan una red al agua no para pescar. Son petrificados como imágenes y sus ademanes carecen de sentido más allá de lo estético.

Otros habitantes de Xiapu se han reciclado en cobradores de entradas (para acceder al pueblo hay que pagar una tarifa) y en guías turísticos que van señalando cada atracción visual y cómo sacar el mejor partido de ella con la cámara. Hablan de la «fotografía perfecta», y hay incluso paneles con algunas que se invita a imitar, para que nadie se pierda en los caminos de su propia creatividad. Pueblo y fotos de cartón piedra para evitar que la realidad arruine una buena imagen. Y es que si no puedes con tu enemigo, únete a él, sobre todo si es a cambio de dinero. Según las estadísticas oficiales, entre los años 2008 y 2019, el número de turistas que visitaron la zona se multiplicó por diez.

*

Amistades revolucionarias, yo os digo: la tierra ya no es de quien la trabaja, sino de quien la enseña.

*

De los pocos lugares que he visitado hasta la fecha (no hay en mí esa ambición de poner chinchetas sobre un mapa colonizado, sino de volver una y otra vez a los mismos o, como decía Buñuel: «Nunca he viajado por placer. Esa afición por el turismo, tan difundida a mi alrededor, me es desconocida. No experimento ninguna curiosidad por los países que no conozco y que nunca conoceré. Por el contrario, me gusta volver a los sitios en los que he vivido y a los que me atan los recuerdos»), en todos he conocido sus cementerios por una oscura afición. Del mismo modo, imagino que los amantes de las artes plásticas visitan los museos, los creyentes van a los templos, y los cocineros y entusiastas de la gastronomía en general quieren conocer siempre los mercados, ansiosos por ver con sus propios ojos el núcleo de la vida de esos sitios, entre la familiaridad y la extrañeza. Sin embargo, desde hace unos años todo el mundo visita parques y museos, los ateos sin interés en el arte acuden en masa a las iglesias y nadie olvida los mercados, incluso quienes no tienen maña culinaria y se alimentan habitualmente a base de platos precocinados. ¿Qué les interesa honestamente, qué les lleva allí si ni siquiera conocen la mayoría de esos lugares en su propia ciudad? Supongo que una curiosidad adiestrada.

*

Mes a mes, en la ciudad grande empieza a ser habitual hacer la compra en el mercado al ritmo de los *flashes*. Grupos guiados visitan los puestos y, con sorpresa en sus ojos rasgados, fotografían las patas de cerdo que cuelgan sobre nuestras cabezas al tiempo que pago la cuenta. El charcutero me mira con una complicidad un poco avergonzada. Creo que ambos sentimos que de pronto somos el reparto de una película cañí.

El sociólogo Dean MacCannell publicó en 1976 un libro tan importante como desapercibido: *El turista. Una nueva teoría de la clase ociosa*, texto que retocó por última vez en 1999. A pesar de que todo lo ocurrido en este tiempo hace que el libro sea casi una pieza arqueológica, algunos de sus análisis se mantienen vigentes y nos ayudan a pensar cómo hemos llegado hasta aquí. Habla, por ejemplo, de la autenticidad escenificada (de la que Xiapu es su caso extremo y por entonces inimaginable), de la producción de experiencias turísticas, de la función del museo y de los parques en nuestra cultura. Y dice que «las visitas turísticas internacionales modernas poseen su propia estructura moral, un sentido colectivo según el cual existen ciertas vistas que uno está obligado a ver». Nadie estaría exento de la obligación de esa visita al lugar sacralizado por el ideario turístico, excepto la persona local. Por eso, supongo, la joven isleña Ruth conoce medio mundo, pero hacía años que no visitaba la Azure Window. Y así, las personas que viajan en su tiempo libre (libre para cumplir con el mandato del viaje) ya no acceden a su verdadera vida en vacaciones, sino que cumplen con el deber del ocio y su catálogo de requerimientos.

*

Según MacCannell, lo que caracteriza al turista es una actitud ritual que nace en el acto del viaje y culmina cuando se encuentra en presencia de la vista obligada. A mí me gusta imaginarlo como un peregrino de los lugares que le han dicho que tiene que ver y fotografiar, esto último como garantía y muestra de su iluminación. Pero lo que más me sorprende es que los *recomendadores* nos uniformizan, asumen que todas tenemos que ver lo mismo, independientemente de quiénes somos y cuáles son nuestros intereses, en ese momento asimilados al de un carácter unívoco: el de la persona potencialmente fuera de lugar. Surge así un modelo de atracción un tanto artificial por el que el ciudadano del mundo viaja para ver lo que hay que ver y tacharlo en su lista de destinos y tareas.

*

¿Y cómo sabe una lo que hay que ver en un destino? Pues nada más fácil, porque siempre está indicado en las guías, los artículos, los paneles informativos, las redes sociales, los libros de viaje —tomo aire—, los folletos de museos, la referencia de quienes ya lo han visitado, las señales a pie de calle, la oficina de turismo. La red está inundada de artículos titulados «Qué ver en X», donde la equis es cualquier calle, pueblo, ciudad, país, espacio acotado por distintas arbitrariedades. Instagram está infestado de geolocalizaciones, como si los usuarios tuvieran la compulsión de hacer público siempre dónde están. Todo esto responde a un ansia de consumir espacios con los ojos: ver, ver todo lo posible de ese sitio al que uno viaja para que así no parezca un desplazamiento en balde. Tantos siglos después, es cierto de una manera nueva: *veni, vidi, vici.*

MacCannell habla de ese proceso por el que determinados sitios, hasta entonces indisociables de su contexto, acaban siendo puntos neurálgicos del turismo, porciones aisladas de espacio. Basándose en la semiótica, propone que cada atracción turística es un signo que representa algo para alguien, y por eso es necesario llamar la atención del turista a través de un marcador del lugar. Se trata de una pequeña o escueta información que supone el primer encuentro de quien viaja con una vista obligada. No con ella, sino con su representación: su nombre, su imagen o un plano sencillo de dónde se encuentra.

Esto explica por qué personas sin intereses específicos en un mercado acuden a él cuando no es el de su localidad. El gusto es tan maleable que basta con generar un marcador de espacios, una sencilla llamada, para que a casi todo el mundo le apetezca ir a esa zona e incluso, una vez allí, se sienta satisfecho y haga gestos de complacencia. Le han dicho que es importante verlo, le han señalado cómo llegar, sabe qué cosas merecen la atención del objetivo de su cámara, sabe qué imagen puede ser envidiable.

*

También es cierto que algunos no quieren mirar. Un amigo me pregunta acerca de la isla: «¿Hay mucho que ver allí?». No sé qué responderle. «Lo digo porque estas vacaciones no queremos visitar apenas nada, solo queremos tirarnos en la playa sobre una toalla y descansar, y por eso preferimos ir a un sitio que tenga pocas cosas que merezcan ser visitadas». Otra amiga no llegó a ir a nuestra casa porque prefería ahorrar para viajar a la Riviera Maya, muy de moda en aquella época, con la idea de dormitar en un «todo incluido». Diez horas de vuelo para eso, lo que se me antoja una bendita penitencia. Al final tampoco fue allí. «Porque ¿a quién le interesa ver la cotidianidad de un lugar pudiendo contemplar playas, paisajes y personas de un atractivo notable?», dice el artículo en el que leí la noticia de Xiapu. Parece la tiranía de lo uniformemente bello.

*

Escucho a menudo hablar de «ciudades turísticas», como si la coyuntura pudiera contaminar así su identidad. Y a veces, dependiendo del peso de la expectativa alimentada, hay decepciones producidas por un desajuste entre ella y la realidad de la vista, tal como me ocurrió a mí con las pocas cosas que *conocía* de la isla antes de estar allí. El tópico funciona: nada es lo que parece (y, a veces, menos mal).

*

Pensando en Xiapu, también hay una respuesta a ese fenómeno en el libro de MacCannell: el turismo convierte la relación del ser humano con su oficio en atracción. Y añade que «la relación entre el hombre y su trabajo es potencialmente mucho más compleja que el modo en que se presenta en el protestantismo, en el capitalismo o en el turismo». Curiosa equiparación de sistemas que yo no podría haber sugerido mejor. Se habla entonces de la sacralización de los lugares. Pero «lo sagrado es la repetición», mi único talento.

*

Cuando decidimos ir a vivir a la isla, todavía no conocíamos a nadie que hubiese estado allí. En aquella época, la mayor parte de su turismo lo protagonizaban los británicos y los jóvenes que iban a estudiar y practicar inglés durante unas semanas a la isla grande del archipiélago. Esa era la parte oficial, no por ello menos cierta, pero a los españoles se nos conoce en el país, desde entonces, por ser gente aficionada a beber en la calle, a gritar y a ensuciar.

Nuestras primeras investigaciones en Internet no fueron en la línea de qué ver en las islas, teníamos mucho más interés en saber, por ejemplo, si encontraríamos demasiados problemas para alquilar una casa para una estancia larga o si todavía podríamos movernos en los míticos autobuses coloridos de la Cooperativa (y no pudimos, para entonces ya había llegado una multinacional inglesa). A pesar de no tener conocimiento directo, varias personas nos dijeron que teníamos que ver allí dos cosas: la fábrica de PLAYMOBIL y Popeye's Village. Mi infancia no estaba demasiado ligada al recuerdo de esos muñecos, y de Popeye solo me había quedado la imagen de las espinacas y un ancla en un bíceps inusualmente marcado. ¿De verdad entonces *tenía que* visitar aquellos destinos?

Popeye's Village se encuentra en una pequeña bahía al noroeste de la isla grande, en la que en 1980 se construyó esta reproducción del pueblo del personaje como set de filmación para una película producida por Walt Disney y Paramount Pictures. La pequeña villa, arropada por un dique y el azul turquesa propio del agua de la zona, consta de casi veinte casas de un tipo de madera que se llevó desde Canadá y Holanda (si apenas hay árboles, en el archipiélago no existe siquiera la idea de un bosque propio que abastezca, por eso las construcciones son de piedra caliza, excepto esta ficción territorial). Después de su función, y en vez de retirar todo el atrezo, se decidió dejarlo tal como estaba y convertir aquel escenario en algo más duradero, así que ahora es un museo al aire libre y un lugar de entretenimiento familiar. Una atracción turística más. Hay allí espectáculos protagonizados por isleños que interpretan —*sobreactúan* sería más preciso— a los personajes de la tira cómica en escenas bien conocidas, como la boda de Popeye y Olivia. Antes de ir quise ver un vídeo para hacerme una idea, y entonces cancelé el plan. Pocas cosas me dan tanto miedo como los pueblos fantasma-mil-veces-resucitados.

Las vacaciones hace tiempo que no son lo que eran. Largos veranos en los que dilatábamos tiempo y espacios conocidos, en los que aún era posible (pagable) ser veraneante y ejercer el ocio de los niños hasta hurgar en la tierra de pura curiosidad o aburrimiento. Pero ahora tememos aburrirnos, entramos en pánico ante la idea de no aprovechar el tiempo libre y así lo convertimos en todo menos en eso.

¿Qué hacer cuando no se trabaja? Ojalá considerar de nuevo esta pregunta como una fantasía y no como una lista de tareas. Lo primero que deberíamos hacer es dejarnos llevar por cierta pereza —aunque es esta también una propuesta perezosa—. Se trataría sobre todo de desaprender una orden, la que dicta que «nuestro ocio es para consumir o [...] tiene que ser productivo». Porque es cierto: el consumo vacacional —con su aparente lujo, su pompa cutre, con el espejismo de otro modo de vida, aunque se parezca tanto a este— es una versión más del trabajo.

La moto nos la deja Mike, a cambio de una —supuestamente— escasa suma de dinero. Solemos alquilársela por días, cuando nos apetece movernos todo lo posible dentro del perímetro, y al devolvérsela le gusta llevarme de vuelta a la capital para hablar un rato en el trayecto, aunque a mí no me importa caminar los tres kilómetros que me separan de casa. Desde el garaje, a través de la puerta que da a un pequeño patio, grita a su mujer por el hueco de la escalera. No comprendo todo lo que dice, pero sí más de lo que él imagina. Hacemos mal en subestimar el poder de las palabras sueltas. *Lambretta, barranin, Victoria, pranzu...* Me cuelgo de ellas como de lianas para llegar a alguna parte. Ella no le oye bien y él, con firmeza, insiste en sus explicaciones. Tampoco deberíamos infravalorar el poder de la ignorancia (de la voluntaria). Su mujer no responde, solo sube el volumen del televisor.

*

De vuelta al inglés, Mike me invita a subir a la camioneta. Por fortuna, ya he perdido la inercia de acercarme al asiento que no debo, destreza hermanada a la de mirar primero a la derecha antes de cruzar y a la de no entorpecer la acera con mis costumbres viales escasamente británicas. Es esa la trinidad de la mímesis en las colonias, incluso más de medio siglo después de su independencia. Subo entonces y me acomodo junto a la ventanilla, lo más alejada del conductor. Me resulta sospechosa la proximidad en el asiento intermedio de la primera fila, donde una amabilidad con distracción da toquecitos en la pierna del copiloto, para enfatizar. Hay cientos de camionetas como esta en la isla, lo que distingue la de Mike es que va cargada de botellas de oxígeno y el dibujo de varios peces y corales sobre el fondo de un mar tópico. Suelo preguntarme en un susurro quién firmará la obra de arte. Al lado, un faro roto. Desde que lo conozco, la avería se mantiene intacta, persevera. Es la razón de que siempre pase por la capital acelerado: «¡Esta ciudad es imposible! Reza por que la policía no me vea, me estoy jugando la multa desde hace tiempo». A mí me parece que la palabra *ciudad* le queda un poco grande, pero tampoco conozco otra que se ajuste a ese sitio. Los agentes, en la calle principal, siguen acodados en la baranda de la comisaría y esta vez tampoco responden a su saludo exagerado.

*

La isla está cambiando. Quizá ya demasiado. Pero para defender esto es necesario abrir la perspectiva, confrontar la imagen de la memoria con el reencuentro. O no, porque al volver a casa solemos encontrar las cosas un poco fuera de lugar o demasiado en su sitio, y lo que falla se explica con una combinación de lírica, física y docilidad: nada se pierde, solo encuentra una nueva localización.

La isla está cambiando y es esto ya tan evidente que solo se discuten las consecuencias. Quedan así divididos sus habitantes en dos tipos: los que se benefician de estos cambios y los que no consiguen hacerlo. Mike es instructor de buceo. Recuerdo una de sus primeras frases: «Conmigo bucearás como un delfín», canturreada con el inconfundible acento de la zona: «*Wit me, you will dive lika dolpin*», cortando a navaja las palabras de su eslogan. Vivíamos allí desde hacía poco más de una semana y un amigo había ido a visitarnos. Quería aprovechar la estancia para conseguir un certificado de buceo, y no sé cómo, pero había dado con ese contacto. Concertamos un encuentro esa misma tarde y los acompañamos. Mike era ya por entonces un hombre de mediana edad, aunque siempre elude la cifra si le preguntamos. Menudo y moreno de piel, afable a pesar de un rostro cincelado con aristas y un acentuado contrapeso nasal que hacía pensar que la cara se le iba a caer hacia delante, su mirada de saber más que el resto de la gente se imponía a las arrugas marcadas por el sol y el salitre, como su pelo. Es probablemente una de las personas más atléticas de la isla, pero no lo suficiente si una se deja llevar por las segundas impresiones, especialmente las que incluyen la curva de la tripa en el forzado traje de neopreno. Nos llevó a una terraza de la plaza principal y se mostró elocuente delante de su vaso, con ese aire de empleado de oficina de turismo que todo isleño despliega ante quien no habla su lengua materna. Es un piloto automático y se activa, normalmente, con el símbolo del euro. Le preguntamos por la marca de su cerveza, Hopleaf. No hace falta estar familiarizada con los detalles de la isla para saber que es otra, Cisk, uno de sus emblemas. En el ferri es habitual encontrar camiones de ese amarillo chillón tan característico, con sus letras rojas, con su escudo, un caballo y la cruz: «*Since* 1929». Es parte de su historia reciente, divulgada en vallas publicitarias y en las fotografías que recuerdan la visita de la reina de Inglaterra. Y no es menos frecuente ver a hombres saliendo de las *pastizzerias* con una de esas *half pints* en la mano: le dan un trago, entran al coche que habían dejado abierto, arrancan el motor y tras meter la tercera marcha siguen bebiendo durante el camino que retoman. Al principio esto me hacía gracia por lo que tiene de ilícito, de retador y despreocupado. Creía que en esos gestos se adivinaba lo característico de la isla. Después comprendí de dónde salían las cifras de muertes en la carretera, qué había ocurrido con aquel policía, con mi compañera de trabajo. ¿Por qué bebía Hopleaf? Mike nos explicó que a veces estaba tan cansado de las cosas de esa roca (como tantos isleños, así la llama a veces) que prefería dedicarse a sus actores secundarios. Apenas le contamos nada de cada uno de nosotros, adivinando ya cómo nuestros rostros se sumaban a ese carrusel de caras indistinguibles: extranjeras, relajadas, con las mejillas rojas por el sol. Cuánto se divierten descifrando nacionalidades. Improvisan un estudio básico de la fisonomía para adivinar la procedencia, siempre e inevitablemente *overseas*, una de las palabras más bellas y constantes. Francesa, portuguesa, griega, casi nunca alemana o suiza. ¿Española? ¡Española! Cuando aciertan, asoma una sonrisa. Son expertos en nosotros. Yo quise resaltar que habíamos llegado para quedarnos una larga temporada, pero el estatus de habitante no se consigue con intenciones. Mike no llegó a escucharme.

«Qué pena», dijo, «si os vais cuando termine el curso en la escuela, no llegaréis a ver los fuegos artificiales. En tres semanas hay una fiesta en el pueblo de al lado. En este país otra cosa no, pero los fuegos artificiales no faltan». Nuestro amigo se dejó convencer, al día siguiente empezarían el curso de buceo y, si todo iba bien, intentarían encajar uno más haciendo doble sesión cada día. Algo muy peligroso, pero Mike parecía el instructor más profesional en los catorce kilómetros a la redonda en los que nos movíamos.

*

Si eres extranjero, allí puedes dedicarte a un par de cosas: al buceo o a la hostelería. Especialista, en cualquier caso, en el uniformado ocio ajeno. Aunque él ya había conseguido su objetivo principal, no quiso dejar pasar la oportunidad de cazar tres pájaros de un tiro. Se quedó un poco más allí con nosotros. Ya con las botellas vacías y con nuestra determinación de no acompañarlos en el curso, aproveché su resistencia en la mesa para preguntarle por la burbuja inmobiliaria. No era algo demasiado patente, no podía decir que alcanzase el nivel de autodestrucción de cualquier otra isla mediterránea en aquel momento. Pero, también por eso, identificar la fiebre y el desastre que se avecinaba resultaba fácil para una mirada ya acostumbrada a los estragos del ladrillo. Su respuesta fue clara: «La construcción es progreso».

Uno de los pueblos del norte, el más turístico, ha sido destino habitual de vacaciones para los habitantes de la isla grande, aunque en los últimos tiempos, junto con otro de los pueblos del sur, es sencillamente uno de los atractivos del tópico de sol y playa y atardecer de postal que atrae a miles de centroeuropeos ávidos de luz y cantidades absurdas de agua. Esos lugares no se diferencian demasiado de los pueblos de cualquier parte de la costa española: están plagados de restaurantes con fotos del menú y terrazas en la primera línea (cada año más amenazadas por las marejadas), con sus paseos llenos de relaciones públicas, con sus hoteles de altura ambiciosa en comparación con el pueblo al que dejan en la sombra. En una de sus extensiones a lo largo del litoral se puede adivinar de un golpe de vista lo que eran las afueras y ahora es una línea de edificios vacíos, con óxido en las zonas comunes y alguna cortina ondeando a modo de bandera: patria esta de la Herrumbrosa Prosperidad.

En un paseo fui a parar a aquel pueblo del norte con la inercia del turista de paso. El camino al norte siempre se presenta evidente en las brújulas. Resultaba más cómodo y fácil llegar a ese destino y no a las poblaciones cercanas, casi todas en altura, y para las que había que subir escarpadas carreteras llenas de curvas. La razón de los cerros a los que Eileen no puede subir es que, durante siglos, en la isla los pueblos crecían en altura para defenderse, tal como atestiguan también las torres de vigilancia que jalonan la costa y que transmiten, desde uno y otro lado, una potente evocación de historias de piratas y aventuras. El terreno lo exigió. Pero además de estas modestas alturas, también destaca la presencia de dos valles que se abren al mar. Zonas tranquilas en las que los propios isleños —los que podían— comenzaron a veranear. Qué tentación, también, pensar que la conquista de su tierra llegó por donde era lógico. Solo que esta vez se dejaron engañar: el enemigo encantador no venía en barco pirata, sino ofreciendo relucientes monedas de oro.

٭

Mike no suele bucear en la costa de ninguno de estos pueblos. Sus lugares preferidos están al este y también al sur, y son la guinda indiscutible del atractivo que vende de antemano. Es esto lo que la tierra ha regalado a los isleños, un edén verdadero si no se mira hacia el destrozo que han hecho en su orilla, plagada de tiendas de *souvenirs*. El *modus operandi* es siempre el mismo: dándole la vuelta al tablero, él es un simpático conquistador que coloniza el mundo desde casa. Una vez captados y antes de lanzarse al agua, lleva a sus nuevos alumnos y alumnas al garaje, donde tiene desplegado todo el negocio. Trajes de neopreno, gafas, tubos y cinturones de peso, pero también varias vitrinas llenas de pulseras, relojes y colgantes con motivos marinos, conchas, coral inexistente en el archipiélago. Es la cima del *souvenir*: el inauténtico. Después de la primera visita, lo que de veras interesa es leer a Mike dentro de sus paredes y sorprenderse por que él también está hecho de carne y hueso insular, de ese lugar del que está tan aburrido. En el garaje caben la camioneta, un coche, un *pick-up* amarillo y la *scooter*. Los isleños se quejan de la isla tan pequeña en la que viven, pero no recorren de ella a pie más de quinientos metros.

175

*

Yo quise hacerme un regalo para el futuro y, a la manera de Duchamp, una botella diminuta con arena de dos playas fue el mejor recuerdo *trabajado*.

*

Empecé a sospechar que una madura cuando acepta las opiniones contrarias como un indicativo de algo y no como un desafío. Mike podría estar desengañado de esta isla a cuyo suelo se siente soldado, podría sentirse también extranjero de sus compatriotas. Es más vivo, más consciente de muchas cosas. Pero es también uno de ellos. Dio la conversación por terminada, llamó al camarero para pedir la cuenta y en un gesto ambiguo no nos permitió invitarle. Su casa, sus normas, dijo con bastante holgura. Lo podíamos coger por donde quisiéramos. La conversación en su idioma entre el camarero y él nos excluía.

*

Rememoro ahora aquel primer encuentro, en la camioneta de camino a la capital desde su pueblo, y compruebo, mirando su perfil en las curvas, que, a pesar de que no tendrá más de cuarenta y cinco años, no cabe en su cara una arruga más. Las marcas no traducen el cansancio sino el sol. Él lo llama esfuerzo y en realidad son días libres en las largas temporadas bajas. Pienso de él lo que él piensa de mí, que sus mejores experiencias las vive siempre bajo el influjo de un entusiasmo parecido al vacacional. Me habla de sus viajes porque le gusta reescucharlos, asistir de nuevo a ese relato adaptado. «Asia es lo mejor de este mundo», comenta siempre con esa mirada de *elsewhere* que a todos se nos pone al pensar en los oasis. Cada año prepara un viaje para el siguiente otoño, es su cinta de meta. Aquí lo tienen claro: «Nosotros servimos, pero también nos gusta que nos sirvan», así que además de en coches y ritos de paso, los isleños gastan la mayor parte de su dinero en viajes y no se privan de ningún detalle. ¿Qué desea alguien que vive en el paraíso? Según parece, hacer dinero de él e irse a un edén similar pero lejano. *The grass is always greener on the other side.* A Mike no le gusta España: «Claro que he estado. En Barcelona. Pero en la habitación nos pusieron una litera y tuve que preguntarle al encargado si pensaba que mi mujer era mi hermana. Hay que ser inútil». Así que cada octubre, cuando acaba la temporada, Mike sale de la isla para hacer en otra parte lo mismo que en ella. Y mantiene esa magia durante el tiempo que dura: las tres semanas de vacaciones.

*

«No te engañes, el problema no son los turistas. Vienen, se divierten y se van. Lo que no se debe es abrir las puertas sin más. No quiero parecer racista, pero ahora hay gente que vive aquí mejor que nosotros mismos». Para hablar de esto toca el volante, señala con el dedo índice su circularidad terrestre. «Lo diré para que se me entienda. ¿Es mía esta isla? ¿Soy dueño de su futuro por haber nacido aquí? No.

Pero si abrimos las fronteras, si este mundo es de todos por igual, yo también quiero mi parte».

*

Durante el tiempo que pasamos allí vimos a Mike muy a menudo y siempre por casualidad. Cruzaba la capital a toda prisa, con su faro roto y su cargamento de neoprenos, botellas y grupos de personas alborotadas por la risa. En una ocasión, tras una visita a la isla grande, en el ferri de vuelta estuve hablando con una chica que llegaba por primera vez. Era francesa, y su novio, al que no veía demasiado, se había comprado una casa en la isla pequeña. Ella venía a quitarle las telarañas y a sacudir las moscas mientras su chico trabajaba en una película. Así lo dijo. Un par de días después me saludaba agitando el brazo desde el asiento del copiloto de la camioneta de Mike, junto a él, sobre los peces y el coral.

DESDE EL AVIÓN, cuando se observa la roca y en ella destacan tan cerca, tan nítidamente sus hitos (las iglesias, el faro, el circuito de carreras de caballos), parece, como en aquel cuento borgiano del imperio, que la isla es exactamente su mapa desplegado sobre ella. Yo colgué uno en la pared del *living room*. Quería unir el macro y el micro. Quería que me dijera: «Usted *está* aquí».

Los no lugares parecen propiedad de Marc Augé desde que acuñó el término en 1990. Su logro está en haberlos identificado y analizado, ayudándonos a verlos incluso cuando estamos en ellos (no hace falta salir del paisaje): «Son espacios propiamente contemporáneos de confluencia anónimos, donde personas en tránsito deben instalarse durante algún tiempo de espera, sea a la salida del avión, del tren o del metro que ha de llegar. Apenas permiten un furtivo cruce de miradas entre personas que nunca más se encontrarán. Los no lugares convierten a los ciudadanos en meros elementos de conjuntos que se forman y deshacen al azar y son simbólicos de la condición humana actual. El usuario mantiene con estos no lugares una relación contractual establecida por el billete de tren o de avión y no tiene en ellos más personalidad que la documentada en su tarjeta de identidad».

*

En la isla también me aburrí a veces, así que algunas tardes me dediqué a obviar todas las posibilidades de felicidad al aire libre por las que ahora mataría y a ver *online* programas de la televisión española. En uno de ellos hablaban de esas «personas que nunca más se encontrarán» en las grandes ciudades: cajeros de supermercado, conductores de autobús, repartidoras... La socióloga invitada decía que las tratamos como a máquinas, y mi interpretación recuerda que nuestro deber moral es mirarlas a los ojos y darles las gracias, «haciéndoles sentir que las apreciamos como seres humanos, más allá de su empleo, por más que *solamente* trabajen como mediadores», como casi objetos que posibilitan la transacción del trayecto, de la compra. Un trabajo alienante si las personas que se benefician de él contribuyen a que así sea. En cualquier caso, allí fue fácil pasar de la educación más formal al respeto verdadero: al ser tan pequeña, en la isla todo el mundo se conocía y saludaba, y agradecía cada gesto con la mítica inclinación de cabeza.

*

Ignoro si Augé está al tanto, pero nadie, de veras, ha sabido contar los no lugares mejor que Donna Stonecipher. De ella no tenemos demasiada información, más allá de los sitios a los que ha pertenecido —Seattle, Teherán, Praga y Berlín—, y en nuestro idioma su obra apenas está rescatada. Entre otras razones, por eso cada lectura de los poemas pertenecientes a *Model City* parece un milagro, un privilegio. En ese libro habla de las ciudades planificadas, un prototipo de asentamiento artificial, racional, medido, una idea de urbe que termina identificando con un hábitat no apto para las personas que se supone que la habitarán. En contra de esa idea motora, la ciudad es aséptica, fría, un conjunto vacío en el espacio, un no lugar fragmentado en cientos de lugares de paso. En ella, el concepto de propiedad es volá-

182

til: los ciudadanos se mueven solo en taxis, todo está por alquilar, es imposible que nada sea propio más allá del uso. La ciudad modelo es, por definición, lo contrario de una isla para un náufrago: expulsa a sus posibles nuevos habitantes. La ciudad modelo es solo un favor de habitación.

*

«Fue como preguntarse si la ciudad efectivamente tiene un interior, y si lo tiene cuánto cuesta, fue como querer sacar la cuenta con los precios de todas las habitaciones de hotel y todos los alquileres, para saber con exactitud cuánto cuesta el interior de la ciudad». A estas alturas, en la isla saben con precisión cuál es su precio, el de sus pueblos y el de todos y cada uno de sus *landlords*.

*

Model City se abre con una cita de Le Corbusier: «Estamos a la espera de una forma de planificación urbana que nos dé la libertad». Y yo me mantengo y me repito con mi don: el espacio acotado de la isla es la planificación geográfica de mi albedrío. Imposible no pensar entonces en cuántas veces una isla fue una cárcel. Como la de Alcatraz, en la californiana bahía de San Francisco, dedicada en sus dos kilómetros cuadrados durante algún tiempo a ser una prisión militar y federal. Claro que desde 1963 cambió su finalidad: ahora, parte del Parque Nacional Golden Gate e Hito Histórico Nacional (he ahí dos marcadores importantes, nos diría MacCannell), recibe cada día a cientos de

183

turistas que quieren visitarla. Está también la isla de Man, la de la Juventud o la de San Lucas. Pero mi cárcel preferida es el destierro. Unamuno lo vivió en Fuerteventura durante cuatro meses del año 1924. Temió morir en «esa miserable isla» con la que se sentía en el fondo identificado —yerma, desolada— y que lo mantenía lejos de su familia. Sin embargo, al poco tiempo de su estancia empezó a pasearla incansablemente y a tomarle cariño.

*

Al margen de la relación directa con la penitenciaría, con la vigilancia y el castigo, es obvio que para muchas personas habitar una isla es motivo de claustrofobia. Para otras, en cambio, puede ser la salvación a un naufragio, como le ocurrió a Robinson. Cuando fui a vivir a la mía, me sorprendió todo lo que era igual a lo de siempre: la oficina de Correos atareada, las plazas con sus pájaros, las calles llenas de contaminación y de gente interpretando su papel. Una ciudad es una representación que se adapta a su escenario. Yo me cuelo casi siempre con la obra a medio hacer.

Es BUENO tener presente la ley del mar: si no llega a la costa, el ochenta por ciento de lo que aparece en él es de quien lo encuentra. Como aquel velero que se soltó del puerto de nuestro pueblo de veraneo durante un temporal. O lo que alcanzó algunas aldeas de la costa gallega después de que los vecinos cambiasen el curso de un faro (al tocar la arena, todo para ellos). Por eso creo que no es el cielo de la ciudad grande lo que parece el mar, como se suele decir, sino su suelo. Todo lo que cae en él desaparece de su legítima propiedad. Y si creía lo contrario, dejé de hacerlo al volver sobre mis pasos para recoger algo que había caído un minuto atrás. Nunca volví a ver aquella bolsa de tela que Frances había cosido para nosotros.

MAGGIE NELSON también trató de escribir a tragos cortos una obsesión, un enamoramiento del color azul. Lo hizo en *Bluets*, un libro de apenas cien páginas que pareció llevarle mucho tiempo de escritura. Ella cuenta una verdad aparentemente incómoda: «En mi currículum dice que estoy trabajando actualmente en un libro sobre el color azul. Llevo años diciéndolo sin escribir ni una palabra». Yo llevo años diciendo, cada vez en un tono más bajo, que escribo sobre la isla. Al principio la declaración era casi un golpe en la mesa: tengo un proyecto, sé cosas de ese lugar, habité de veras un tiempo casi mítico en un trozo de tierra al que no he dejado de volver, garabateo con sentido varios cuadernos. Pero nada más, no por escrito. Y esto son palabras que dibujo con una goma de borrar sobre aquellos cuadernos. No hay nada que contar, ya no hay proyecto. Pierdo el tiempo, voy y vuelvo a la isla, doy vueltas dentro de ella.

*

Solía pensar que para escribir el gozo era preciso pausar el resto de la vida. Como cuando una va a contar la mejor anécdota y entonces hace callar a todos sus amigos. Pero para hacer ese paréntesis son necesarias dos circunstancias: la enfermedad o el dinero. Por fortuna, yo no suelo tener

187

demasiado de ninguna de las dos. Hay una tercera opción: hacer de la vida una suerte de tiempo libre con pequeñas interrupciones.

*

Maggie Nelson quería contar su color azul, y recuerda que hubo una época en la que planeaba viajar a muchos lugares famosos por ser azules. Para ello, preparó un mapa, utilizó chinchetas de colores y *ritualizó* el plan. Pero no tenía medios, así que solicitó becas defendiendo «lo emocionante, lo original, lo *necesaria*» que sería su exploración de lo azul. Terminó escribiendo a una universidad conservadora y, quizá por las altas horas de la noche a las que lo hizo y la desinhibición que a veces estas conllevan, se describió a sí misma y a su empresa como «pagana, hedonista y cachonda». Nunca recibió ninguna financiación. A eso yo lo llamo autoboicot en el trabajo, y me corrijo rápidamente: no, escribir no es un trabajo. Un trabajo es aquello que hacemos por dinero, que tiene horarios y límites, y que si a la larga disfrutamos es por pura casualidad.

*

Cuando llegué a la isla, aquel lugar no era famoso por nada, pero tenía dos lugares completamente azules incluso en su mención, así que sin saberlo a mí sí me financiaron para llegar a aquel color. Tampoco ese era el objetivo que expuse para lograrlo. A esto, entonces, lo llamo yo esconder el hedonismo.

El azul es el color preferido de casi todo el mundo desde que las encuestas empezaron a recoger esta información hacia el año 1880 en Francia. ¿Qué azul? No importa, es un concepto.

Para ser fiel a la verdad, me desdigo: la isla es todo lo que no es azul. Amarilla, un pequeño punto árido en medio del mar. He pensado en ella mientras vivía allí y todos y cada uno de los días en los que ya no la piso. Algunas mañanas creo que huelo su calor. Mientras escribo, noto su humedad en los brazos. Nombro los lugares de ciudades nuevas según se parezcan a aquellos, duplicando una vez más el mapa de cada superficie. Calculo el área y las poblaciones en función de las de la isla, como si fuese siempre la medida de mi leyenda. Y recuerdo inevitablemente a Józef Wittlin, a quien leí mucho tiempo después. Él debía a la ciudad de Lvov algo de su forma de ser y mucho de lo que sentía y pensaba. La llevaba consigo hasta el punto de decir: «Cuando me imagino feliz siempre me veo en mi tierra». También Wittlin buscaba en los paseos por otras urbes el recuerdo o el parecido con la suya. Su escritura sobre el lugar suele definirse como la obra maestra del ensayo autobiográfico, una declaración de amor a la ciudad. Por eso es un ejemplo muy claro de la relación entre el lugar y la propia identidad: «No es Lvov lo que echamos de menos tras años de distanciamiento, sino a nosotros mismos en aquella Lvov».

*

Del mismo modo que hay más peces en el mar, hay más lugares en el mundo. Esto también me lo dijo Frances, varias veces, en las cartas que nos escribimos después de que yo dejara la isla. Y lo sé, por supuesto. Pero ¿he de decirlo de nuevo?, la variedad no es un reclamo, no en mi caso. «Y ¿qué tipo de locura es [...] estar enamorado de algo que es constitucionalmente incapaz de corresponder?», se pregunta Maggie Nelson conmigo.

«En algún idioma debe de haber una palabra para el deseo de estar en otra parte», me dice J. mientras paseamos. Y yo pienso que si la hubiera, no estoy segura de saber reconocerla. Mi deber, en todo caso, es descubrirla.

*

Cada vez que alguien bromea sobre el nombre de la isla, evoco el viaje que nos llevó a aquel país, sumamente madrugador por el bajo coste del billete. Hacíamos cola para facturar las maletas en el mostrador correspondiente; la compañía tenía previstos varios vuelos esa mañana, así que nos pusimos bajo la pantalla que anunciaba el destino. Eran las cinco de la madrugada y las familias con hijos parecían más cansadas que nosotros, que podíamos reírnos de sus bromas, de su falta de sueño. Con una sonrisa de disculpa, un chico asiático se acercó para preguntarnos: «¿Qué significa Malta?». Creímos no entenderle: «¿Qué significa qué?». Él señaló la pantalla sobre uno de los mostradores. Es el nombre de un país, le respondimos, más confusos que él (en sus memorias, Violette Leduc cuenta que alguien dijo un nombre en inglés que no entendió: «Su pronunciación me exiliaba»). Mantuvo la sonrisa, esta vez con agradecimiento, y se fue. Prefería haberle dicho que *Malta* viene de

191

Melita, dulce como la miel, y que es también el nombre de una de las principales empresas de telefonía e Internet en el país. Cuando después de un tiempo sucumbimos a la conexión, fue una de sus comerciales la que me contó el significado. Más que el nombre de las cosas, para mí es vital el de los espacios.

*

En casa yo escribía en la mesa de la cocina, pero también solía hacerlo durante los paseos, así que los cuadernos tenían usos diferenciados: *indoor* y *outdoor*. El segundo lo compré en la papelería de la calle de la palmera y el convento, y era del mismo tipo que los que usaban los pequeños isleños en la escuela. Esto me producía cierto placer tribal. En él apuntaba los nombres de los pueblos que atravesaba —Għajnsielem, Xewkija, Qala— y algunas palabras que me podían ser útiles, sobre todo al principio, para familiarizarme con su grafía: «*Il-ġurnata t-tajba, kif int?*», que viene a ser la forma más educada para el «Buenos días, ¿qué tal estás?». También suelo anotar algunas palabras sin su significado, solo por su forma, como esta que ahora es un regalo: *shaba*.

*

Mi tatarabuela decía que con el tiempo las ciudades no se distinguirían entre sí, perderían sus fronteras y las últimas casas de unas tocarían con los edificios de otras. Por qué recuerdo esto que me contaron cuando era pequeña es evi-

dente: me preocupa cómo llamar a esos espacios interme-
dios, a su ensanche, a su unión. ¿Qué es y qué deja de ser
algo si su nombre se mantiene? ¿A cuál de esa combinación
de letras pertenecemos?

*

Durante mucho tiempo, las palabras compuestas de mi lengua materna me confundieron porque creía firmemente en
su unidad. ¿Cómo que *paraguas* es *para-aguas*? ¿Que un
tajalápiz es *taja-lápiz* (o, en su versión más castellana, *saca-
puntas*)? La textura de mi lenguaje infantil tenía la rugosidad
de lo arbitrario: por supuesto que no me hacía falta entender
cada una de esas dos voces para llegar a su significado. ¿Aca-
so era necesario para comprender que *mesa* es una mesa?
Me acostumbré entonces a la sorpresa silenciosa. Y descubrí que Lastres, uno de los pueblos más bellos y conocidos
de mi norte, recibe su nombre de «Las tres luces», algo que
dijo un marinero al atisbar desde el barco aquella bahía (la
aldea inmediatamente superior se llama Luces, como era de
esperar). El pueblo se hizo famoso hace unos años por una
serie de televisión que lo utilizó como localización principal,
aunque cambiándole el nombre por uno de ficción. Durante
un tiempo todavía anterior al dominio absoluto de los por-
tales de alquiler y venta de inmuebles, los dueños de las casas
ya ofertaban en los anuncios por palabras de los periódicos
la posibilidad de pasar las vacaciones no en Lastres, sino en
«San Martín del Sella, el pueblo de la serie». Se confirmaba
así el mundo como escenario, la toponimia como literatura.
La ficción turística que supera y absorbe la realidad.

«Las lenguas se infiltran en nosotros con olores, silencios, ruidos, rostros. Son rostros y paisajes». Y yo sigo preguntándome qué es lo específico del idioma del archipiélago, qué sabe nombrar especialmente bien, del mismo modo que algunos colores existen solo en ciertas lenguas o el japonés tiene más de cincuenta palabras para la lluvia. Es difícil saberlo, porque la cooficialidad con el inglés diluye a veces su alcance. La lengua de la isla es un certificado de autenticidad, un perímetro, una lengua-isla, y yo quiero abandonar la mía en su favor. Quiero gastar un idioma.

*

De modo que no es cierto, el lenguaje no nos comunica, solo nos ayuda a comunicarnos. Algo se pierde en la traducción, no solamente en la de un idioma a otro, sino en la de un lenguaje a su instrumento, nuestra boca, el papel. ¿Por qué digo todo esto? Escribir nos hace pavos reales: mira lo que pienso, mira cómo puedo llegar a decirlo, qué te parece. Y no sé cómo mantener mi carácter en otro idioma porque la lengua me moldea.

*

Vivir allí era onírico, no tanto por la fantasía sino por las descuidadas costuras de algunos paralelismos, como si estuviesen mal traducidos o ideados por un narrador infantil. Frances nos invitó a ver los fuegos artificiales que clausuraban unas fiestas. Serían la noche en la que celebran a una de sus vírgenes más veneradas, Il Bambina. El mismo día se celebra, también con luces en el cielo, la festividad de la virgen patrona de mi región, La Santina. Dicen que a veces la realidad rima, pero no sabía que tan literalmente. Frances y Joe nos convocaban en su huerta, donde tenían previsto reunirse con toda la familia para disfrutar de la noche. Así que podríamos conocer al fin el lugar exacto del que salía la ambrosía. Joe es de uno de los pueblos más cercanos a la capital, competidor con ella casi en tamaño, pero sobre todo en importancia, y en las faldas de su acceso está la huerta o, más justamente, *the field*. Nos dieron las coordenadas: la parada de autobús, unos pasos en dirección norte y la pista fundamental de los olivos. Esa tarde fuimos a la playa, a los concretísimos metros cuadrados de arena que solíamos frecuentar y que considerábamos ya nuestros, y se nos hizo un poco tarde al pasar por casa y prepararnos para la ocasión. Decidimos que sería buena idea emprender el camino en autostop. Seguro que alguien se detendría para hacernos hueco en su coche, como siempre. Pero entretanto lo mejor era seguir a pie. Una hora antes habíamos oído desde casa los voladores que recordaban la fiesta un día más de esa semana. La de ese pueblo es la última de decenas de celebraciones casi idénticas: una virgen, una iglesia llena de luces de colores, la curia al completo, puestos de comida ambulante en las calles del pueblo, bandas de música y vistosas ropas de domingo. La combinación ofrece un resultado familiar, religioso y también algo desinhibidamente alcohólico (recuerdo haber tomado una copa en el umbral de la iglesia, mientras caía confeti y miraba cómo un avión nos sobrevolaba y no podía ni imaginarse la felicidad de aquí abajo, la dualidad fundamental). Paso a paso, le pregunté a J. cómo serían sus olivos, tan desacostumbrada a ver árboles allí. «Así», me dijo. Y de una puertecilla de madera salieron ambos a abrazarnos.

*

Corazón es una de las palabras que más tachaba Borges en sus correcciones. Yo borro constantemente de este manuscrito la palabra que más me gusta porque significa demasiado, porque se entiende mal.

*

«Bienvenidos a nuestra *villa*», dijeron con los brazos abiertos, y allí estaban todos, la familia a la que ya pertenecíamos un poco y la que conocimos entonces. Joe cortó sobre nuestras cabezas dos racimos de uvas y con un gesto sagrado las lavó en un cubo de agua a nuestros pies. Carmen, una de sus cuñadas, no hablaba ni una palabra en inglés, algo que sumado a su timidez hizo que cualquier cosa que comentaba pareciera sospechosa. Su marido era el principal agricultor de la isla y nos explicó rudimentariamente los tipos de fruta y hortalizas que cultivaba. Otro de los hermanos de Frances, John, presentó a su mujer australiana, que después de veinticinco años allí comenzaba al fin a aprender el idioma. El ambiente era festivo y todos se volcaban en contarnos cosas sobre la isla y su manera de vivir. Pero yo quería saber más, así que me pareció el momento oportuno: «¿Qué ha pasado con el caso del policía? Sí, el que se ahogó junto a la terminal del ferri en la isla grande». Ni de religión ni de política ni de fútbol. Es cierto que es mejor no hablar de nada de eso. Tampoco del orden y la ley. Una sirena bramó y solamente nosotros sentimos la tensión. Ellos reían, ya relajados. Según nos explicaron, el sonido servía durante la Segunda Guerra Mundial para avisar del peligro por bombardeo y señalar que era hora de ir al refugio. Ahora indica el inicio de los fuegos artificiales.

*

La conversación hacía aguas en tres lenguas, pero los hermanos de Frances se volcaron en mi interés por su idioma. Eran contagiosas las sonrisas de cordialidad, los asentimientos —su gran aproximación gestual al extranjero— y la frase —para ellos palabra— «*Orrait?*», escrita así, tal como la pronunciaban. En la nueva era de autoparodia vendible, han llegado a hacer postales con esto en una tipografía pop, y a los más mayores les hace gracia cómo sus descuidos se han convertido en algo identitario y literalmente beneficioso. «*Iva, iva*», asentía yo marcando en esas letras el acento de la isla pequeña. Frances, anfitriona omnipotente, traducía y tendía puentes entre nosotros mientras recolocaba los últimos preparativos. Del bolso saqué el cuaderno *outdoor* y un libro de conversación en su idioma. La gramática, ligada al árabe, era imposible, pero de oído era ya capaz de reproducir algunos diálogos, capaz por ejemplo de alquilar un piso en la isla para una hermana australiana (lástima que yo sea hija única y toda mi familia viva en España, pero no quería dejar que la verdad estropease mi escasa práctica del idioma). Intenté transcribir algunas palabras cuando de pronto me quitaron el bolígrafo de la mano y comenzaron a discutir entre ellos acerca de si esa hache llevaba palito o no, una lo tachaba, otro lo añadía.

*

Salimos a la carretera, donde colocamos algunas sillas y nos acomodamos. Unos adolescentes corrían en dirección al centro del pueblo, en lo alto de la colina, y llevaban petardos. Nuestra vista era privilegiada. Los altavoces explicaron algo que no entendí, solo algunas palabras, el nombre de la virgen, el acento que era ya melodía y el *Ave Maria* de Schubert con su muy traducible cadencia religiosa. Continuó una música que nos hizo habitar durante varios minutos el ambiente de una película del neorrealismo italiano —al tiempo que pasaron una mujer y sus dos nietas vestidas de negro y encaje blanco, zapatos de charol, lazos en las mangas— y empezaron a parpadear las inmensas luces en el cielo, justo enfrente, en una de las pequeñas colinas, al ritmo de las campanas de la iglesia principal. Ellos nos animaban a compartir el asombro con ademanes muy acentuados.

El santo patrón de los obreros es san José, y a él también se encomiendan los católicos cuando buscan empleo. Me entero de ello gracias a Joseph Ponthus, autor de la brillantísima *Desde la línea*. Yo diría que es una novela en verso, pero él puntualiza ya al principio que escribe tal como piensa en la línea de producción, entrecortadamente. Ponthus narra jornadas idénticas, una tras otra, sin ningún acontecimiento narrable. Y relata la duración, la relación con el tiempo que le impone el trabajo temporal en las fábricas que trastornan su cuerpo, sus certezas, todo lo que creía saber del esfuerzo y del descanso, de la alegría, de la humanidad. Primero consigue un empleo en una conservera y más tarde en una sala de despiece: «Al matadero / Voy como quien va / Al matadero». Y allí ve con lucidez:

Empujo canales
Sin fin
Lo único que hago es
Ganarme la vida
No
Ganar pasta
No
Vender mi fuerza de trabajo
Eso es
Justo eso.

QUIZÁ LA ESCRITURA es también un tipo de paisaje. ¿Puede entonces contarse una historia con palabras hiladas por otros? Decía Barthes que la literatura no permite andar, pero permite respirar. Continúo —uno, dos, tres— y en movimiento escribo lo que sé: es tan grande el mundo y yo cojo el mismo tren todos los días.

*

Empecé a desear estar en otra parte cuando no podía moverme del mismo lugar. Quiero decir que cuando vivía en la ciudad en la que nací era fácil cambiar de aires: en solo veinte minutos podía estar en una de las dos poblaciones vecinas mejor comunicadas, lo suficientemente distintas a la mía como para poder despejar la vista. Entendí entonces que el espacio era una cuestión de tiempo, una especie de moneda: si tengo dos horas libres, ¿qué trayecto puedo conseguir con ellas? También era fácil pensarlo con el tiempo de las obligaciones, y así me encontraba a veces en clase haciendo cálculos, como el que me decía que en esa aburridísima mañana llena de monólogos académicos podría haber atravesado las montañas para ver a mi abuela y estar de vuelta a la hora de comer. Pero a nadie se le ocurre hacer eso, cruzar una cordillera para pasar apenas unas horas del otro lado. En cambio, sí le parece a demasiada gente que merece la pena (o no hay más remedio que) vivir a decenas de kilómetros del trabajo. Esto lo descubrí en la ciudad grande: miles de personas que invierten hasta cuatro horas de su día en desplazarse, en acarrear su cuerpo cansado o dormido, todo depende de la hora, entre tantos otros cuerpos metidos en cápsulas de tiempo.

*

Durante varios años viví a solo diez o quince minutos a pie de mi lugar de trabajo principal. Me costaba comprender que eso era un lujo, pero al final todo se entiende y el asentimiento es una forma de resignación. Ahora sigo habitando un carísimo minipiso en el centro de una ciudad donde no me gusta vivir, mi nuevo trabajo está a veinte kilómetros, a seis paradas de tren y dos de metro, a más de una hora de distancia. Se puede aprovechar ese tiempo para leer o responder mensajes pendientes, pero prefiero ponerme al día en un parque y no encogida entre personas tristes en general y contentas en particular porque han alcanzado a tiempo el tren de las 8.12.

*

En la ciudad grande empiezo a entender que no es fácil cambiar de aires. Si es cierto que cada barrio tiene su carácter, también lo es que todos respiran lo mismo. La ciudad está cerrada, además, por un cinturón de zonas muertas. Cuenta con la sierra, por suerte, el mejor destino a una hora y media en tren. Es decir, aquí sí tiene sentido invertir ese tiempo para pasar la mañana, para liberarse.

*

«Combatir el capitalismo para remolonear con tu pareja al despertarte». Algo así decía un artículo que me leyó J. un jueves a las siete y veinticinco de la mañana mientras desayunábamos. Reímos. Sí, es gracioso porque es cierto: nos adherimos a la causa general, queremos acabar con las injusticias económicas derivadas del sistema, queremos dinamitarlo desde sus burbujas, blup, blup, blup. Pero en el fondo está el gesto o un deseo: apagar la alarma y sentir sin prisa el tacto, el calor del otro, olvidar el tren que Sísifo pierde. Yo no suelo perderlo. Además de obediente, soy puntual. Pero aunque llegase tarde al trabajo, la clave es que llegaría, ahí está la trampa. Durante el viaje de treinta minutos pienso en cómo gravitamos en torno a lo que no necesariamente nos fascina. Cómo giro en este tren dos veces al día alrededor de la ciudad, que viene a ser su centro. Intento mirar el cielo y destacarlo: una bóveda mínima, ínfima, media esfera sucia. Me pregunto si desde los extremos de la urbe nos imaginan aquí y cómo. Repito su topónimo tres veces frente a mi reflejo, que surge en la ventana en cada túnel. Al lado, otra señal de alarma: «No utilizar sin causa justificada». Miro a mis compañeras de vagón. Un hombre en ropa de trabajo dormita sobre su pecho (se cambió de asiento para que no le diera el primer sol). Una mujer joven cargada de bolsas de ropa limpia duerme sobre su mano derecha, apoyada en el cristal. Otra intenta

203

descansar la vista, pero abre los ojos sobresaltada con cada estímulo. Justifico nuestra alarma, pero me temo que no es de este mundo.

*

«La madrugada como fantasía: toda mi vida he soñado con levantarme temprano (deseo clasista: levantarme para "pensar", para escribir, no para tomar el ferrocarril suburbano)», me escribió Barthes.

*

Descubro entonces que hay un modo de estar en otro tiempo y otra parte. Si cada vez somos menos cuerpo (excepto para los problemas), lo virtual puede satisfacernos. Así supe que los sitios web de las inmobiliarias no son solo una herramienta del demonio para gentrificar lugares, sino mi llave para la ubicuidad. Las webcams también. Eso es lo que me entretiene a mí de camino al trabajo, y es así como evito mirar a la señal de alarma, sabiendo que hay otro mundo de los posibles que no está en el cielo y que es mejor.

*

La concepción espacial de los isleños puede parecer irracional. Una distancia de cinco kilómetros les parece en ocasiones insalvable. Para una habitante de un pueblo central, la zona del este de la isla podía haber sido visitada por última vez diez años atrás. Eso es casi lo que paseo en la ciudad grande para ir y volver de una de las cafeterías que frecuento. Aprendí a no reaccionar, a querer saber más, y para eso hace falta ser una combinación de persona impasible e inocentemente interesada en lo que le cuentan.

*

A nadie le extrañaba que pudiese pasarme un tercio del día mirando el mar cuando lo tenía cerca. Observándolo, como si desentrañara por primera vez la frecuencia de las mareas, la serie de las olas. Siete u once, me decía mi padre; impar en todo caso, me dice ahora. Con el tiempo aprendemos que las verdades son inestables y ofrecen, como mucho, un patrón vago. A nadie le extraña que lo mire ahora a través de la pantalla, y en el Mediterráneo siempre es pleamar. Apago la ventana virtual, entro a la oficina.

Después de su enfermedad, Anne Boyer escribe en *Desmorir* de mucho más que eso, y dice que estamos agotados porque vendemos las horas de nuestras vidas para sobrevivir y luego empleamos las horas que no hemos vendido en poner nuestra vida a punto para venderlas. Los agotados son «la prueba humana de cada minuto malentendido como un imperio para la economía, de cada cuerpo humano malentendido como un instrumento que debería tocar mil canciones complacientes a la vez».

Lo pensaba durante las clases y sobre todo en los exámenes. Me encantaba mirar por la ventana y observar a la mujer que tendía la ropa, recogía la mesa, acariciaba a un gato rubio, se anudaba a sí misma en la bufanda y desaparecía un par de horas. Pensaba que así cualquiera. Esa mujer podía ver en la tele los programas a los que yo solo accedía cuando tenía unas décimas de fiebre y me quedaba en casa, y que me parecían la traducción de un mundo adulto, preocupado por la realidad, las variedades, con un ritmo diferente y más vivo que el de los magacines de la tarde. A través de lo que yo creía la facilidad de las mañanas libres, ella tenía una vida más auténtica.

*

Falté siempre muchísimo al colegio, y lo que me regaló toda esa modesta desventura fue la llave de mi ciudad. De pronto entré en ella como en la cara oculta de la Luna, poblada de repartidores de refrescos, gente apuradísima con carpetas, operarios que arreglaban las aceras, carteros. A pesar de ese deslumbramiento por la vida extramuros del colegio, nunca sentí la tentación temprana de dejar los estudios para trabajar. De hecho, todavía no la siento.

En aquellos días casi libres acompañaba a mis padres en sus tareas. No solía encontrarme con otras niñas, todas ocupaban su pupitre en ese horario. Pero a veces se daba la casualidad y aprendíamos que es difícil romper el hielo, sobre todo con desconocidos. «¿A qué cole vas?», preguntábamos al quedarnos en la subconversación de los adultos que se saludaban y se paraban a hablar unos minutos en la calle. En mi caso, a la pregunta por el colegio se sumaba una por la dirección de su casa, y manifestaba un interés real, aunque más centrado en el verbo que en el sustantivo: no es que me importase saber dónde pasaban sus días y si teníamos amigas en común, lo que quería era descifrar en qué zona de la ciudad se movían, cuál era el recorrido que hacían varias veces en ambos sentidos y cuánto tardaban. Así fui trazando otro mapa, el que configuraban los casi infinitos itinerarios de amigos y conocidos, formas de las que extraer significado, como en esos dibujos de pasatiempo que surgen tras unir los puntos con una línea más o menos firme. Pero ellas, en cambio, preguntaban siempre «¿En qué trabajan tus padres?». El trabajo era entonces una muestra de la identidad y el estatus de la familia, que nos situaba con la precisión de las taxonomías fáciles en prestigiosos o no, respetables o todo lo contrario.

*

Años más tarde, en la facultad, un profesor contó que se había encontrado con un viejo compañero de camino a clase. No se veían desde niños, y se preguntaba él allí, con nosotros y en voz alta, cómo sus rutinas se cruzaron en aquel momento. Creo que quería parecer trascendente porque, según dijo ahuecando la voz, quizá esa mañana, después de afeitarse, se había demorado un poco más frente al espejo, repasando con la mano la suavidad de su mentón. Ese gesto ínfimo, disuelto normalmente en el resto de ademanes, cobraba entonces un nuevo sentido: le permitía acceder al Otro Olvidado. Desde aquello, a veces salgo un poco antes de casa o un poco después, y pienso en que así me dirijo a un encuentro inesperado, una nueva cruz en el mapa. «En algún lugar, alguien está viajando furiosamente hacia ti», escribió John Ashbery. ¿Cómo no desear estar libre para salir a recibirlo?

*

A partir de cierta edad, la forma no cambia, cambia el contenido. Ahora solemos preguntar «¿A qué te dedicas?», y a mí el eco me devuelve aquel *Are you living for good?*», aunque un poco más amable. Está bien, se descubre así que alguien es atrecista, gruista, técnico en suelos de material poroso, encargada de producto, matrona, inspectora de ascensores, buhonero. Me alucinan esas especialidades, pero lo que más me gusta es la habilidad para dominar cosas aparentemente sencillas y dedicar la vida a ello. Ese *doctor* en suelos sabe distinguir a simple vista lo que pisamos, con todo detalle. Y yo misma, que no sé limpiar un pez sin tragedia, me maravillo al hacer la compra en los mercados, a rebosar de su gente especialista en lo manual, en eliminar mil escamas y tripas con los ojos cerrados. Ya lo decía el cocinero más carismático de este país: «Qué envidia cada uno en su oficio». Qué destreza con el cuchillo, maravilla la sonrisa relajada de quien sabe lo que hace sin reparar ya en ello.

*

Cuando de niña ya intentaba averiguar cuál era mi don, practiqué varios deportes para adivinarlo. Con el tenis desarrollé cierto fanatismo (*like she did one thousand times before*): compraba las revistas especializadas, veía cada partido que se emitía, quería saberlo todo sobre el tema. Incluso mantuve correspondencia con un famoso tenista cuya imagen empapeló las paredes de mi habitación, y llegué a salir en la tele entrenando el revés. El tenis me había gustado antes de saber lo que era más allá de un intercambio de pelota, desde la final de Roland Garros en 1994, en aquel inicio de verano en el que le pedía a todo el mundo que jugara conmigo para poder así interpretar yo a la rubia perdedora. Pero no fue hasta unos años después cuando me enganché definitivamente gracias a una semifinal del mismo campeonato. Había entrado en un bar con mis padres y me quedé embelesada con aquel tenista, pero solo ahora, liberada del furor adolescente, reconozco que lo increíble era el juego de su rival. Un comentarista lo dijo en el siguiente saque: «Hace lo que quiere con la pelota». Y era literal, su dominio se veía tan espectacular y obvio que no parecía deporte, sino un conjunto de pinceladas para dar forma a un partido impecable. Fue entonces cuando me inscribí en los entrenamientos. Yo también quería ser perfecta, pero no tuve paciencia.

*

En un libro encontré la clave y, aunque hablaba de música, servía casi para todo: los primeros cinco años de práctica uno se acostumbra al instrumento; durante los siguientes cinco lo convierte en una parte de sí, en una extensión de su cuerpo; de los diez a los quince años de práctica es consciente de la técnica; y cuando lleva veinte, la domina. Hay que tener demasiado tesón y suerte para esto. Hay que perseverar y, lo más difícil, hay que creer en el futuro. Con esa combinación es posible vivir de las destrezas y que no parezca un empleo.

CADA VEZ que alguien se pregunta por la utilidad de su trabajo (y, por lo tanto, parece, por el sentido de su vida), me viene a la mente una anécdota macabra. Un excéntrico, conocido y recién jubilado arqueólogo llamado Vere Gordon Childe desapareció en los acantilados del Salto de Govett, en las Montañas Azules de Australia. Durante mucho tiempo se creyó que su muerte fue un accidente, un traspiés provocado por la miopía y la edad. Pero varios años más tarde, su sucesor en el Instituto de Arqueología de la Universidad de Londres desveló el contenido de una carta clave para comprender lo que ocurrió. Childe no tuvo un accidente, sino que, al verse ante el vacío de un tiempo libre con el que no sabía qué hacer, tomó la decisión de suicidarse y así lo hizo. «El prejuicio contra el suicidio es absolutamente irracional […]. Acabar con su vida de manera deliberada es, de hecho, algo que diferencia al *Homo sapiens* de otros animales», decía en su carta, que es una «reflexión desapasionada sobre el sinsentido de la vida sin un trabajo útil que hacer».

MI IDENTIDAD TIEMBLA si depende de mi profesión, si intento apropiarme de lo que estudié. En cuanto a mi oficio, lo que hago cada día requiere tanta pérdida de tiempo como parte sustancial de su resultado que tampoco puedo decir nada digno. Haré una prueba. De profesión: cumplidora, especialista en ahorro y derroche acompasados a las circunstancias, investigadora distraída de lo laboral. Entretanto, leo y (a veces) escribo. Leo y leo y leo, y me enturbio tanto con las letras ajenas como me enorgullezco por no producir. Leo y hago crecer mi cabeza con ello. Consumo en vez de generar. Me empacho. Pero mentiría si ahora me contase la historia de que en la isla no pensaba en el futuro. En aquel año empecé a sentir los días no como una progresión, sino como una caída, la de los números de mi cuenta bancaria, especialmente después de dejar el trabajo en La Stanza. Vivir allí era asequible, pero el castigo de la continuidad en el sangrado económico siempre es certero. Lo pagarás mes a mes, así que necesitarás ganar del mismo modo o saber cuánto dinero te hace falta para dejar de preocuparte por los caseros y calcular algo peor: cuántos años puedes mantenerte antes de desaparecer.

217

*

¿Seguiría trabajando si me tocase la lotería? No para otros ni a cambio de dinero. Entonces eso no es trabajo, es la lacra de la desocupación, el agujero negro de la falta de finalidad, me dicen. Escribir se le parece un poco, solo que tiene más prestigio.

*

La primera vez en mi vida que aposté fue animada por mi abuelo. Las tardes de final de curso, con horario reducido en el colegio, iba a clases de natación. Él me esperaba a la salida de la piscina y paseábamos mientras tomaba la merienda. Una de esas tardes entramos en un local de loterías y apuestas. Yo apenas llegaba al mostrador en el que él dibujaba unas equis. Me dio a mí uno de aquellos pequeños papeles llenos de cuadrículas y un bolígrafo: «Marca seis de todos esos números». «¿Para qué?», pregunté yo, infectada ya por el virus de la finalidad. Insistió con evasivas y yo obedecí. Unos días después, al salir de la piscina, fuimos directos al mismo sitio. La encargada de la administración le dio a mi abuelo muchas monedas y él rio diciendo que no eran suyas, las había *ganado* yo. Ochocientas pesetas para hacer con ellas lo que quisiera. Parece poco, pero para una niña era tanto que después de comprar un libro y una comba (y empiezo así ya a hablar como mis padres) incluso me sobró.

*

A veces sigo apostando para darle forma a aquel recuerdo. Me cuesta, moralmente, porque intento hacer unas cuentas imposibles. No es la probabilidad, sino la ordenación de los elementos del mundo: si estas dos monedas semanales no cayesen en el saco roto de la sucursal de turno, ¿qué se podría hacer con ellas, todas unidas? ¿A dónde va el dinero cuando no se esfuma? ¿Por qué cunde la impresión de que obtener el sustento sin esfuerzo es vergonzoso? Uno, cuatro, diecisiete, treinta y nueve, cuarenta y uno y cuarenta y nueve. Esos son los números. Siempre los mismos, así que cualquiera puede comprobar mi suerte en el bienaventurado castigo de la repetición.

*

Poco después de aquella primera tentativa satisfecha, yo no hablaba de otra cosa. Así que al ver ese entusiasmo proyectado en las hipótesis me preguntaban sobre todo qué querría hacer con un dinero incalculable —daba igual la cifra— si me tocara. Me planteaban un mapa a gran escala, también la diminuta diatriba de los objetos deseados. Pero yo solo quería una *cosa*: aquella casa que había sido discoteca frente a la playa de mi infancia. «¿Y qué más te comprarías?», «¿No quieres viajar?». Yo me encogía de hombros, la imaginación de mis deseos todavía no estaba domesticada.

En el archipiélago la apuesta es, más que tradición, una de las bases de su economía. Desde que entró a formar parte de la Unión Europea, la concesión de licencias para el desarrollo del juego *online* hizo que se convirtiera en el país pionero en la regulación de esa industria. Ahora todas las grandes empresas del sector tienen su sede allí, y las apuestas son tanto un reclamo para la diversión de los turistas como parte de la cotidianidad para muchos isleños. ¿Por qué entonces no lo intenté allí ni una sola vez? ¿Qué haría hoy si me tocara? Está claro: darme tiempo, darme aquel espacio.

Suzman se pregunta por qué le concedemos al trabajo mucha más importancia de la que le daban nuestros antepasados. Ahora lo entendemos, haciendo una aproximación a una definición universal, como algo que implica gastar energía de manera intencionada o invertir esfuerzo en una tarea para conseguir un objetivo o fin. Y nuestros objetivos —nuestros deseos— se han hecho innumerables: desde cosas materiales, pasando por experiencias, hasta, sobre todo, lo que tiene que ver con nuestra identidad, que está totalmente filtrada por la ocupación. Ya no soy lo que tengo, tampoco su reformulación «Soy lo que hago». Ahora soy lo que trabajo: mi capacidad de esfuerzo, mi mérito, el tiempo que regalo a cambio de algo que nunca lo compensa.

Casi todos los libros que tengo sobre el trabajo son pequeños. Eso me hace verlos en las estanterías como publicaciones discretas y me admira entonces su magnetismo, todo el material sensible que llevan en tan pocas páginas y formatos reducidos. A veces la brevedad es la mejor extensión si se tiene muy claro lo que uno viene a decir. Percibo algo así en Bob Black. Las primeras palabras de su libro son suficientes para demostrarlo: «Nadie debería trabajar jamás». Declaraciones atrevidas que continúan, porque Black cree con firmeza que «el trabajo es la fuente de casi toda la miseria existente en el mundo. Casi todos los males que se pueden nombrar proceden del trabajo o de vivir en un mundo diseñado en función de él. Para dejar de sufrir, hemos de dejar de trabajar». En el fondo sé que es efectista. Es una estética. Las ideas radicales deben ser expresadas con radicalidad, pero esa última afirmación es más bien una promesa sin ninguna garantía. En efecto, hoy la tierra es para quien la muestra, del mismo modo que el ocio es una obligación (lo único que diferencia el trabajo del ocio es el contexto y si se nos paga por hacer algo o pagamos por hacerlo). ¿Y no padecemos más cuanto más tiempo tenemos para pensar, cuanto más nos encontramos ante un tiempo libre no convertible en diversión igualmente libre? Black continúa: no hay que dejar de hacer cosas, hay que crear una nueva forma de vida basada en el juego, una revolución lúdica. El gozo, digo yo.

*

¿Y qué ocurre cuando el arte se convierte en trabajo? Que tocamos hueso. En 1920 Faulkner empezó a trabajar como jefe de Correos, aunque *trabajar* es mucho decir: mataba el tiempo jugando al *bridge*, escribiendo poemas y bebiendo, y para anticiparse a la sanción presentó su renuncia justo a tiempo. En 1956 contaba a su entrevistador de *The Paris Review* que antes de escribir su primer libro (y también después, pero de otro modo), se dedicaba a cualquier cosa que le saliera. Sus talentos eran varios: sabía pintar casas, tripular barcos, pilotar avionetas... Además, presumía de no necesitar dinero y de tener alma de vagabundo. Lo único que requería era un lugar para dormir, un poco de comida, tabaco, *whisky* y papel para escribir. Y añadía: «El dinero no me interesa tanto como para salir corriendo a ganarlo. A mí me parece que se trabaja demasiado en el mundo, lo cual es una pena. Una de las cosas más tristes es que lo único que puede hacer un hombre durante ocho horas al día, un día tras otro, es trabajar. No se puede comer, beber o hacer el amor durante ocho horas al día». Él, de profesión, hedonista. No se diferencia tanto la opinión exagerada de Faulkner de la de Black: «Trabajar es el motivo por el que el ser humano se hunde a sí mismo en la miseria y la infelicidad, arrastrando con él a todos los demás».

*

Vivir bien. La vida buena aristotélica. El justo medio. No llamar la atención. «Es el primero en llegar y el último en irse» como elogio del trabajador (o del tonto). La entrega. Shiva y los mil brazos. El autorretrato de Cocteau. El espectáculo de circo: quién consigue aguantar los platos sobre los finísimos palos, quién mantiene su circulación sin descanso. Sonámbulos de vuelta a la cama, de vuelta siempre sobre sí mismos en una danza macabrísima, la limadura propia, jabón y café, prisa incluso en la espera. Dos litros de agua, ve y emplea esos treinta segundos en pensar en lo que debes. Resucita una vez por semana con un solo objetivo: recargar fuerzas. Las pilas, el mismo movimiento cada día, todos y cada uno de tus días, toda tú.

En un libro dedicado a «dejar atrás el pasado», Lewis Hyde habla de dos tipos de nostalgia. Quien padece la nostalgia restauradora cree que es posible volver: «parte con el objetivo de recrear el pasado de manera precisa y de imponérselo al futuro». En cambio, quien vive la nostalgia reflexiva «tal vez sueñe con un final del exilio, pero, consciente de que el hogar está en ruinas y de que el retorno es imposible, no deja de postergar su partida. Sí, anhela volver atrás, pero el énfasis recae en el deseo, no en el hogar».

En una carta, Thomas Bernhard escribió que su enfermedad era la distancia. Cuando veo las fotos de aquella época, me gustaría haber hecho muchas más. Son suficientes, pero hubiera sido buena idea hacer una por cada minuto del día, para reconstruir la isla y mi tiempo en ella en una suerte de *collage* vivo. El horizonte de la marcha se acercaba a medida que los números de la cuenta seguían descendiendo y allí no encontraba sustento a medio plazo. No recuerdo cuándo o cómo compramos los billetes de avión ni qué pensé —porque pensar es mi manera de sentir— en aquel momento, al ver el símbolo, la llave a un mundo que ya conocía y al que no quería regresar. La cuestión empezó a ser entonces: ¿qué significa volver? ¿Cuáles son los puntos de partida?

Si la isla finalmente fue la primera muestra de que otra vida laboral es posible —un lugar en el que yo apenas trabajé para vivir, pero en el que el ejemplo era el contrario: cada persona tenía dos o tres trabajos y no por supervivencia, sino por paradójica necesidad de caprichos—, si la isla fue ese edén —a pesar incluso de sí misma—, surgía entonces otro problema: ¿qué significa trabajar? Yo había hecho el camino inverso: disfruté antes de la jubilación, fui del no-trabajo a la búsqueda de lo que tocase. ¿Y qué hacemos con el tiempo que no le dedicamos a esa pretendida virtud todopoderosa? «Si la pereza y los demás vicios son indeseables, tal y como solemos afirmar, entonces el hombre debe tener una naturaleza auténtica que estos vicios ocultan y adulteran. Si los vicios son malos —y lo son por definición—, entonces el hombre es algo así como un ser necesitado de redención o, como mínimo, de mejora. El hombre sería algo así como un santo fracasado: llamado a la perfección, tropieza una y otra vez con las mismas piedras».

La fecha se acercaba cada vez más y así vivía también el negativo de la isla. Los días se tachaban no para librarme del encierro, del aislamiento feliz, sino para expulsarme de él. Solo que, quién sabe por qué, yo lo había decidido. Bueno, claro que lo sé: ya no me podía ganar con aquella épica el pan del futuro, necesitaba con más urgencia el del presente, y para ello prefería trabajar en algo que no estuviese controlado por la industria turística. Ahora volvía a aquella tierra de la que fui extraída.

*

Fue Ronnie, el taxista que nos llevó a casa la primera vez, quien nos condujo de vuelta al último ferri. Bajé al portal mientras J. revisaba que no nos olvidáramos nada en la casa. Todavía de madrugada, Ronnie nos esperaba, apoyado como siempre en el capó de su coche, esta vez uno de los nuevos. Llevaba un gorro para el frío relativo de diez grados centígrados y me contó que conocía a Joe desde niño. «Joey», lo llamaba. En todos los viajes que hicimos con él le pagábamos siempre por adelantado, así que mientras guardábamos las maletas le pregunté cuánto sería. «A esta hora y hasta el ferri, suelo cobrar diez euros a los isleños y quince a los turistas. *Your choice!*». Aunque pudiéramos elegir, argumentar, el caso es que por primera vez su respuesta también nos expulsaba.

*

Dicen que al terminar una novela se abandona un mundo inventado. Yo abandoné una isla y trato de volver a ella, a la de entonces, poniéndola por escrito. Ese es mi trabajo.

*

Me planteaba qué es lo específico de su idioma y ya lo he comprendido: la lengua de la isla nombra el gozo. Es la palabra en su lugar, donde suenan las campanas.

*

Lo vi, ascendía y era como incumplir un mandato: miré y miré sin convertirme en estatua de sal, petrificada allí mismo, algo que obviamente deseaba. Lo vi todo a pesar de la noche, de los aparentemente indistinguibles caminos marcados por las luces, a pesar de la preocupación por el equipaje que no entraba en el taxi que nos llevaba del norte al sur de la isla grande, a pesar de la mano de J. agarrando la mía. Allí estaba, a partir de entonces cada vez más lejos, en aquel momento a solo seis kilómetros, pero en unas horas a más de tres mil y tantos años, allí estaba mi isla, o la isla que me hizo suya sin confirmación: sus límites, su geografía, toda su gente dormida y en silencio —¿duermen todos a la vez?, sí lo creo—, los pequeños faros del sur marcando una y otra vez el aviso de atracción y repulsión, las cúpulas de las iglesias y el ferri que dividía en dos las aguas igual que los mundos, porque más allá de esa isla no hay nada, y por eso es un barco el que, carontiano, nos lleva y nos trae, concede la gracia y expulsa de ella, como si una marea mecánica pudiera considerar el purgatorio, nuestro mal y nuestro bien, y por eso permite el trayecto, sola y acompañada de decenas de personas que no comprenden absolutamente nada, que no distinguen un mar de otro, una isla de otra, un idioma de otro ni cuánto espero el abrazo de quien nos observa. Pero mi fe en la tierra breve ya es inquebrantable. Lo intentaré de nuevo. De profesión, me digo: isleña.

Agradecimientos

Por todo, gracias a Javitxu López.

Por ayudarme a ver el libro cuando yo lo perdía de vista, por la paciencia, las lecturas y el respaldo, un agradecimiento especial a Julio Guerrero, también al equipo de Siruela.

Por la lectura crítica del manuscrito y las conversaciones, gracias a Guillermo Aguirre, Leticia García, Rosa Lombas, Sonia Izquierdo, Violeta Molina, Fernando Menéndez y Juan J. Gómez.

Por crear una sucursal de la utopía en la que pensar juntas estos temas (Crisi), gracias a Raquel Miralles, Claudia G. Caparrós y Nemrod Carrasco.

Por la complicidad, gracias a Sarah Martín y Lorena Esmorís.

Y gracias, también, a la obra de los autores y autoras cuyas palabras reproduzco en este libro y que, además de los ya citados, son Giuseppe Rensi, Stéphan Lévy-Kuentz, Jaime Gil de Biedma, Mariano Peyrou, Alejandro Zambra, Nicole Brossard y Oriol Quintana.

Gozo es para J., para mi familia y para mis amistades isleñas.